给小学生的情景式物理

图解声光热

原理　应用　实验

学而思考试研究院　主编

化学工业出版社
·北京·

内容简介

《给小学生的情景式物理：图解声光热 原理 应用 实验》是一本适合小学生阅读的物理启蒙读物，以孩子熟悉的生活现象为切入点，带领他们发现身边声光热的奥秘。从悦耳的音乐声到绚丽的彩虹，从镜子里的奇妙成像到冬日暖阳的温度，本书巧妙地将声、光、热三大领域的基础知识融入孩子们熟悉的日常场景中。书中配有大量插图，既有现象示意图，也有原理解析图，还有趣味实验步骤图，不仅直观地展示了物理现象，如声音的传播、光的反射与折射、热传递与物态变化，更深入浅出地解析了背后的科学原理。穿插其中的伽利略、贝尔等科学巨匠的探索故事，不仅让阅读妙趣横生，更能激发孩子们探索未知的好奇心与勇气。本书不仅能让孩子爱上物理，为将来初高中阶段物理学科的学习打好基础，还能培养他们用科学视角观察世界、动手探究的习惯与热情。

图书在版编目（CIP）数据

给小学生的情景式物理. 图解声光热 原理 应用 实验 / 学而思考试研究院主编. -- 北京 : 化学工业出版社, 2025. 6. -- ISBN 978-7-122-48001-9

Ⅰ. G624.63

中国国家版本馆CIP数据核字第202519SJ50号

责任编辑：王丹娜　马冰初　　封面设计：湖南翰视
责任校对：王鹏飞

出版发行：化学工业出版社
（北京市东城区青年湖南街13号　邮政编码100011）
印　　装：盛大（天津）印刷有限公司
710mm×1000mm　1/16　印张7¼　字数120千字
2025年9月北京第1版第1次印刷

购书咨询：010-64518888　　售后服务：010-64518899
网　　址：http://www.cip.com.cn
凡购买本书，如有缺损质量问题，本社销售中心负责调换。

定　　价：49.80元

序

物理是一门揭示世界本质的学科，它能帮助我们理解自然现象的规律，培养逻辑思维能力，激发探索未知的兴趣。虽然它通常在初中阶段才会成为一门独立课程，但对科学素养的培育，应该从童年就开始。

这本书正是为小学生精心设计的物理启蒙读物。在内容安排上，围绕“声”“光”“热”三大核心主题展开，结构完整、重点突出；在表达方式上，结合贴近生活的实例，辅以大量图示，将抽象的知识转化为生动直观的图解内容，让孩子在阅读中自然建立起对科学概念的理解。

作者在创作中充分考虑了小学生的认知特点与学习兴趣。全书以有趣的问题为切入点，逻辑清晰，层层推进，既保证内容的严谨性，又注重对思维方法的引导，还特别加入了适合孩子操作的小实验，增强学习的参与感与实践性。这本书不仅是知识的介绍者，更是一位循循善诱的学习引路人。

对于那些爱提问、爱观察、充满探索欲的孩子来说，这本书帮助他们构建清晰的知识框架，提升分析问题和解决问题的能力。在轻松愉快的阅读中，他们不仅会逐步建立起基本的科学意识，还会在持续的提问与思考中，逐渐形成主动探究的习惯与思维方式。

衷心希望，这本书能帮助孩子看见一个更有逻辑的世界，并在“观察—思考—发现”的过程中，逐步体会到科学的魅力与学习的快乐。

北京市海淀区物理学科带头人

张燕怡

前言

亲爱的同学们：

你们是否好奇过，为什么对着山谷喊话会听到回声？为什么雨后天空会出现彩虹？为什么夏天扇扇子能使人感到凉爽？冬天的冰窗花又是如何形成的？这些看似平常的现象背后，其实都隐藏着声光热的奥秘！没错，声音、光和热，它们看似不同，却又紧密相连，共同构成了我们这个丰富多彩的世界。带着这些有趣的问题，让我们一起打开这本书，走进神奇的科学世界吧！

在声音的世界里，你会认识振动和声波，了解声音如何传播，学会用音调、响度、音色来描述声音。你会明白为什么不同的乐器能发出不同的声音，还会了解超声波如何成为医生的检查工具，次声波如何预警自然灾害。

在光的世界里，你将了解光的直线传播、反射和折射这些基本现象。你会知道为什么会有日食和月食，彩虹如何形成，凸透镜怎样让我们看清微小物体，凹透镜如何帮助近视的人看清远处。从小孔成像到激光技术，光的应用推动着科学的发展。

在热的世界里，你会了解温度、热量和物态变化，探索热的特性。你终于能明白冰为什么会融化，高压锅为什么能更快地煮熟食物，水为什么会变成水蒸气，霜雪又是如何形成的。你还会学到温度计的原理以及人工降雨的科学原理。

这本书不是枯燥的教科书，而是一位充满智慧和耐心的向导。它带你走进生活，发现身边的科学现象，思考其背后的原理；它用生动的图画，把抽象的概念变得一目了然；它讲述科学家的故事，从伽利略到华伦海特，让你感受到科学探索的无穷魅力。

阅读这本书时，你可以准备一个小笔记本，记录下自己的疑问和发现。遇到不懂的地方，不要着急跳过，可以和同学讨论，或者请教老师和家长。书中有一些简单有趣的小实验，但请记住：做光学实验时要保护眼睛；做热学实验时，一定要在大人的指导下进行，并注意安全。

这本书就像一把钥匙，为你打开声、光、热世界的大门。当你怀着好奇心去探索这些奥秘时，你会发现学习的乐趣，并培养解决问题的能力。这些知识将帮助你在未来的物理学习之路上走得更远，为探索更广阔的科学世界做好准备。

让我们一起开始这段奇妙的科学探索之旅吧！

目录

第一章 听见世界的声音

第二章 看见世界的光明

第三章 感受世界的冷热

第一章

听见世界的声音

清脆的鸟叫，悦耳的音乐，欢呼呐喊声……我们能听见世界上各种各样的声音。声音看不见也摸不着，但我们能感觉到它的存在，并且可以从声音中获得不同的信息。走进声音的世界，去探寻声音背后的奥秘吧。

声音是怎样产生的

“呜——”“咕咚！”“哗啦哗啦……”“砰！”

自然界有很多声音，风声、雨声、鸟叫声；人类活动也会产生声音，说话交流、机器轰鸣、汽车鸣笛。到处都充满了声音。你知道声音是怎么产生的吗？

声音是由物体振动产生的

我们用音槌敲击音叉，能听见音叉发出声音。这时用手触碰音叉，能感觉到音叉在振动，而音叉静止时就不会发出声音。这说明声音是由物体振动产生的。

任何物体振动都会发出声音，正在振动、发出声音的物体叫作声源。

常见的振动发声

声音的产生不局限于某一特定类型的物体，无论是固体、液体还是气体都能发声，成为声源。举例如下。

人说话靠声带振动发声。钢琴靠琴弦振动发声。笛子靠空气柱振动发声。蝉靠腹部的两片鼓膜振动发声。鸟靠鸣管振动发声。

蟋蟀靠翅膀相互摩擦发声。蜜蜂、蚊子、苍蝇在飞行时才有声音，是因为它们飞行时翅膀在振动。

实验：“看”得到的声音

材料准备：碗 1 个、保鲜膜 1 张、皮筋 1 根、盐少许。

第一步：用保鲜膜蒙住碗口，用橡皮筋捆绑固定住。

第二步：往保鲜膜上撒少许细盐粒。

第三步：对着保鲜膜播放音乐，观察盐粒会发生什么变化。

实验原理　声音是由物体振动产生的，声音是一种波。声音响起时，引起碗里空气振动，进而让保鲜膜也跟着一起振动，于是我们看到保鲜膜上的细盐粒也跳动起来。声音越大，细盐粒跳动的幅度也越大。

声音是怎样传播的

声音传播需要介质

我们平时听到的声音如说话声、汽笛声、电话铃声、风声等，大都是在空气（气体）中传播的

我们能听到声音，是因为声波通过空气的振动传到了我们的耳朵里面。要是没有空气的振动，我们就无法听到声音。所以，空气是声音传播的一种介质。

介质就是媒介，是用于传播某些物质的载体。声音实质上是一种波，它的传播是一种波状运动，借以传播的物质就是介质。声音的传播需要依靠介质的振动来实现，气体、液体和固体都是传播声音的介质。

声音在不同介质中的传播

渔民利用电子发声器发出声音，把鱼引诱到渔网里，是因为水（液体）能够传播声音

古代打仗，士兵通过趴在地上听马蹄声来判断敌情，这是因为土地（固体）能作为声音传播的介质

声音传播时引起介质的某部分发生振动，偏离原来的位置，周围其他部分就会把它挤回去，从而引发更多的振动。一系列的振动传播出去，声音也就传播出去了。

传播声音的介质不同，声音的传播速度也就不同。介质越“紧密”（如固体），声音传播得越快；介质越“稀疏”（如气体），声音传播得越慢。

声音可以从一种介质进入另一种介质

我们在游泳时，即使潜入水中，也能听到岸上的人说话。

这是因为声音在空气（气体）中传播后又传到了水（液体）里。只是在水中听到的声音有些不一样，因为介质发生了变化，声音传播的速度和方式也发生了改变，所以我们听到的声音也就不同了。

挑选西瓜的科学原理

炎炎夏日，清甜可口的西瓜是我们的最爱。挑选西瓜时，有人会拿起西瓜轻弹或者轻拍，通过声音来判断它是不是熟了。这是怎么回事？

西瓜的瓜瓤在成熟前质地较为紧实，成熟后发生了改变，水分含量增加。拍打西瓜时，瓜皮产生振动发出声音，瓜瓤成熟度不同，发出的声音也就不同。

生瓜的瓜瓤传出来的声音比较清脆，成熟后敲击声相对沉闷。如果声音过于沉闷，说明西瓜已经过熟，瓜瓤开始变质。

怎样描述声音传播的快慢

妈妈在离你很远的地方说话，你也能立刻知道她说了什么，声音的传播速度是不是很快？

声音传播的速度

人们看见闪电后，还要过一会儿，才能听到轰隆隆的雷声。可见，声音的传播需要时间。

声音传播的速度叫声速，声速就是声音每秒传播的距离。

声音在不同介质中的传播速度

声音在一个标准大气压、15℃空气中的传播速度是 340 米 / 秒。下面是声音在常见介质中的传播速度。

一些介质中的声速

介质	声速 /（米 / 秒）	介质	声速 /（米 / 秒）	介质	声速 /（米 / 秒）
空气（0℃）	331	水（常温）	1500	铜	3750
空气（15℃）	340	海水（25℃）	1531	铝	5000
空气（25℃）	346	冰	3230	铁	5200

介质的温度对声音传播的影响

当温度升高后，空气粒子运动更加剧烈，声波传播得相对更快。所以，空气中的声速随着温度的升高而增大。

夏季白天，越靠近地面，空气温度越高，声音传播的速度相对快一些；越往高处，温度越低，声音传播的速度会慢一些。由于声音会向声速慢的区域折射，所以此时声音向高空折射，站在地面上的人通常较难听清远处的声音。

到了夜晚，靠近地面的空气冷了下来，高空则相对温暖。于是，声音会向地面折射，这有利于声音的远距离传播，所以人们在夜晚反而更容易听到远距离的声音。

风对声音传播的影响

顺风呼喊，对方听到的声音更清楚，逆风时就很难听清了。

这是因为风速在不同高度是不同的：靠近地面时风速较小，离地面越高风速越大。这种风速的差异会使声波改变传播方向：顺风时，声波向下弯曲，更容易传到我们的耳朵里；逆风时，声波会向上弯曲，远离地面，所以人们就听不清楚了。

音障与音爆云

2022年11月8日，第十四届中国国际航空航天博览会在珠海开幕。在航展中，有时可以看见飞机像穿了白纱裙，非常漂亮。这条“白纱裙”其实是音爆云。

当飞机以声速或超声速飞行时，空气受到压缩产生声波，声波又不能跑到飞机的前面，所以就全部叠加在一起，在飞机的头部或凸出部分形成锥形波。这道波叫激波。

激波在大气中形成一堵高压、高温、高密度的“空气墙”，给飞机带来强大的阻力，就像一个屏障，称为音障。

当飞机的速度超过声速时，就会突破音障。此时激波上产生的压力变化会引起巨大的爆炸声。这就是音爆。

空气中存在大量的水蒸气，而飞机在高速飞行时，机翼周围会产生低压区，导致空气快速降温。当水蒸气凝结形成云雾时，我们就可以看见飞机穿上了“白纱裙”。这就是音爆云！

音调和频率

夏天经常听见蚊子“嗡嗡嗡”，这是蚊子振动翅膀的声音。蝴蝶在花丛中飞舞，我们却什么也听不见。这是为什么？

振动的快慢——频率

物体发生振动，振动有快有慢。一秒内振动的次数叫频率，我们用频率表示振动的快慢。

频率的单位是赫兹，简称赫。

声音的高低——音调

物体振动得快，发出的声音就高；振动得慢，发出的声音就低。声音的高低叫音调。

水越少的杯子发出的声音越高

音调和频率的关系

实验材料	一把尺子。
实验步骤	第一步：将尺子的一端压紧在桌面上，另一端伸出桌边。 第二步：拨动尺子伸出桌面的一端，观察尺子振动的快慢，注意听振动发出声音的高低。 第三步：改变尺子伸出桌面的长度，多做几次实验，比较振动的快慢和声音的高低。
实验结论	音调和振动频率有关。振动频率快，音调就高；振动频率慢，音调就低。这也就解释了为什么我们能听到蚊子的“嗡嗡”声，却听不到蝴蝶扇动翅膀的声音。

尺子伸出桌面的部分越短，振动越快，频率越高，音调就越高

水倒满了吗?

向热水瓶中灌水，有经验的人仅听灌水时所发出的声音就知道是否已经灌满了。聪明的你知道为什么灌水的时候，声音的高低会发生变化吗?

这是因为水被灌进热水瓶里时，瓶内的空气会振动发声。随着水越来越多，瓶内的空气越来越少，音调也跟着升高。当音调升高到一定程度时，有经验的人就知道热水瓶已经灌满了。

扫码解锁

·AI物理学家
·导学小电台
·奇妙科学课
·知识速记卡

超声波与次声波

超声波与次声波是人耳听不见的。那么它们有什么特点呢？我们能在生活中利用它们吗？

超声波和次声波是什么

振动频率低于 20 赫兹的声波叫次声波，振动频率高于 20000 赫兹的声波叫超声波。

人能听到的声音频率在 20~20000 赫兹之间，所以人听不到超声波和次声波。

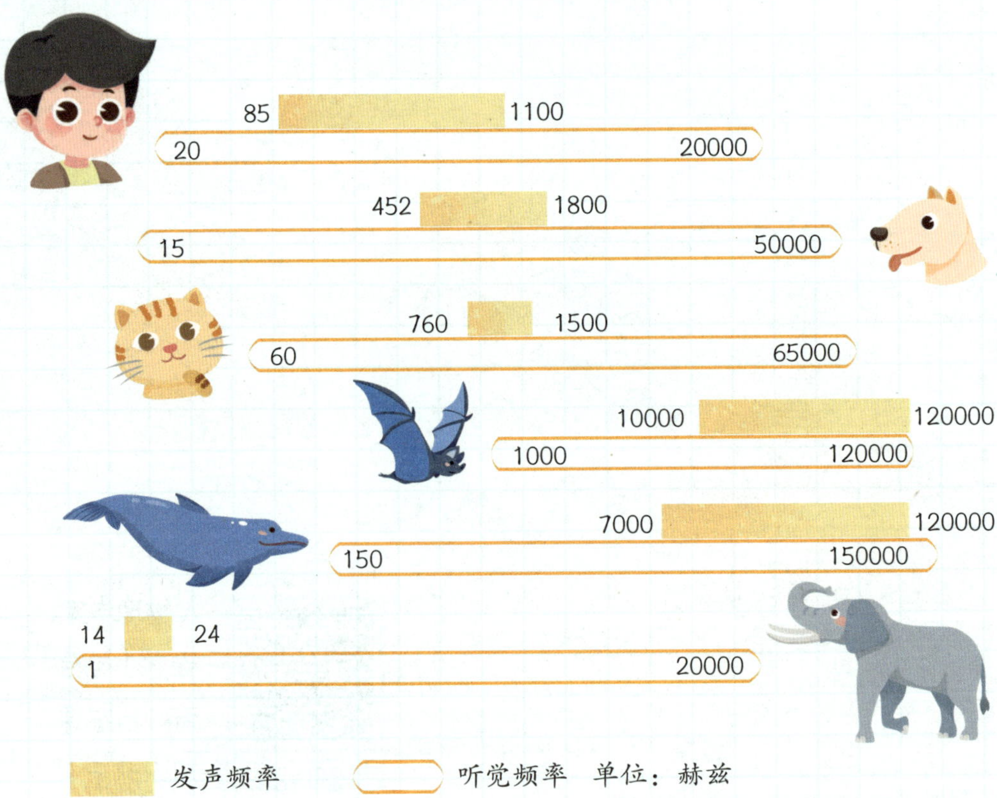

有时你没有听见任何声音，可是猫与狗却忽然警觉起来。这是因为一些动物能听见我们听不到的声音。

超声波的特点

超声波方向性好，穿透能力强。

超声波的应用

B 超：医生用 B 型超声诊断仪发射超声波，超声波穿过人体组织，产生反射波，反射波携带的信息经过处理形成图像。这就是常说的 B 超。B 超不仅被广泛用于检查心脏、肝、胆、肾、膀胱、子宫、卵巢等，还用于检查胎儿的发育情况。

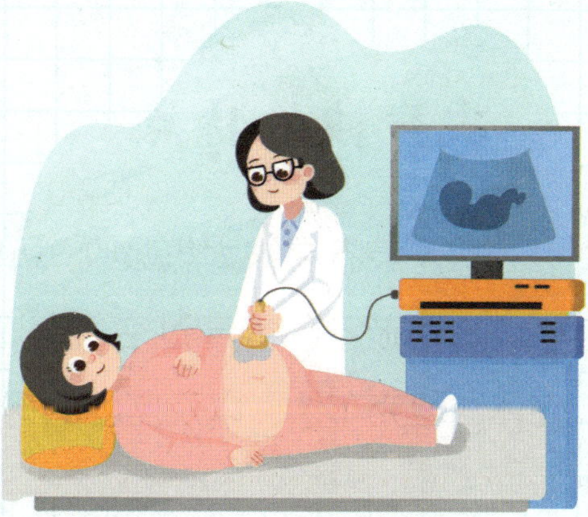

超声波清洗器：超声波在液体中产生空化效应，常被用来清洗物体。把被清洗的物体放在清洗液里，超声波穿过液体，使液体中的气泡剧烈破裂，释放出的冲击力能把物体表面的污垢清洗干净。

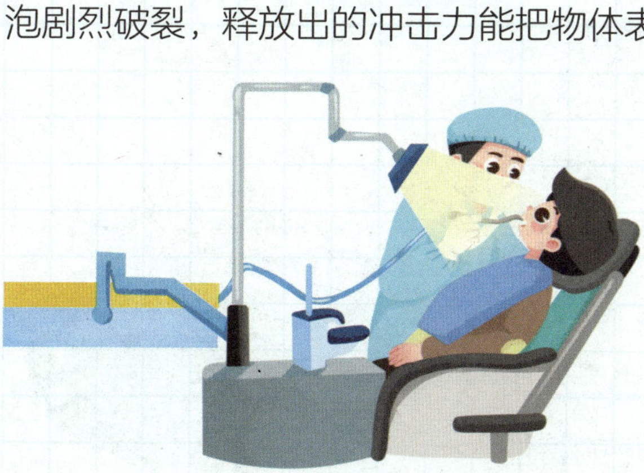

超声波洗牙：牙科医生利用超声波洗牙，就是通过超声波产生的空化效应去除牙齿上的牙结石、牙菌斑。

超声波碎石：向人体内的结石部位发射超声波，结石会被击碎，从而被排出体外。

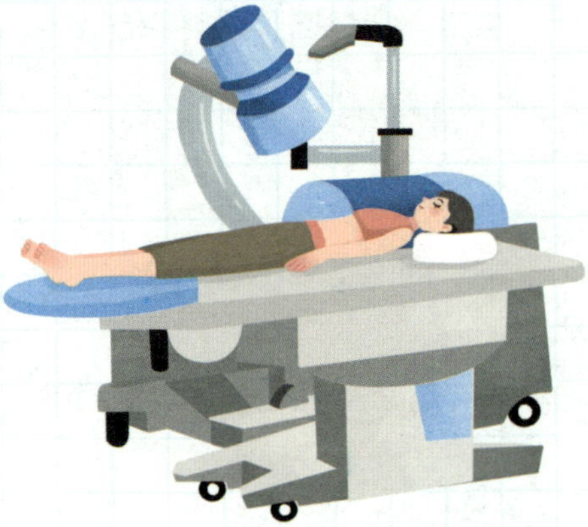

其他应用：促进血液循环，有助于加速伤口愈合和预防血管性疾病。同时，它还可以用于治疗慢性疼痛，通过刺激体内的神经，促进抗炎反应，减轻疼痛和炎症反应。

次声波的特点

次声波不易被大气吸收，所以传播距离很远，能传到几千米以外。

次声波不仅能穿过空气、海水、土壤，还能穿过飞机机体、舰艇壳体、坦克车体，以及坚固的钢筋混凝土结构体。

次声波的应用

研究地震、火山喷发等自然现象产生次声波的机理和特性，可以帮助人类预测自然灾害。

通过测定自然或人工产生的次声波在大气中的传播特性，可以对大范围大气进行连续不断的探测和监测。

人和其他生物的某些器官也会发出微弱的次声波，根据这些次声波的特性可以了解相应器官的活动情况。

高灵敏度的次声探测器可以用来监测火箭发射和核试验。

军事上，利用次声波的强穿透性可制造出能穿透坦克、装甲车的武器。

次声波对人体的伤害

次声波具有极强的穿透力，这种强大的穿透力会对人体产生一系列的危害。

人体各部位都存在细微而有节奏的脉动，这种脉动频率一般为2~16 赫兹，与次声波的频率范围重叠。当次声波作用于人体时，会引起人体内的强烈共振，从而对人体造成极大的伤害。

次声波还可能影响人体的血液循环和神经系统。长时间接触次声波可能导致失眠、头痛、昏迷等严重后果。

如何监测火山喷发？

2022 年 1 月 15 日，南太平洋岛国汤加的洪阿哈阿帕伊岛海底火山猛烈喷发。汤加火山喷发，导致通信、电力瘫痪，并在未来数年内持续影响民生与经济。要想有效应对火山喷发带来的灾害，首先要进行监测。而在众多监测手段中，有一种名为“次声波探测分析”的技术备受关注。由于次声波的频率低、波长长，在传播的过程中被介质吸收得少，还能轻易绕过障碍物，因此较大规模的火山喷发产生的次声波可以传播很远的距离，使得次声监测站对火山活动的监测范围极广。而次声波衰减慢的特点也使得监测更为持久。

什么是声音的强弱

鼓掌时我们越使劲，掌声越大；敲鼓时我们越用力，鼓声越响。这是为什么？

敲鼓时越用力，鼓声越响亮

声音的强弱——响度

声音不仅有高有低，还有强有弱。声音的强弱叫响度，也习惯称为音量或声量。

撞钟时越用力，大钟倾斜的角度越大，振动的幅度也越大，发出的钟声就越响

振动的幅度——振幅

物体振动，有的幅度大，有的幅度小，我们用振幅来表示振动的幅度。

振动的幅度越大，响度越大；振动的幅度越小，响度越小。

响度和振幅的关系

实验材料　铁架台、细线、小球、音叉、木槌、共鸣箱。

实验步骤　第一步：用细线将小球系在铁架台上，调整高度，使其轻触音叉。

	第二步：轻敲音叉，观察小球被弹开的幅度。
	第三步：重敲音叉，观察小球被弹开的幅度。
实验结论	响度和振幅有关。振幅越大，响度越大；振幅越小，响度越小。

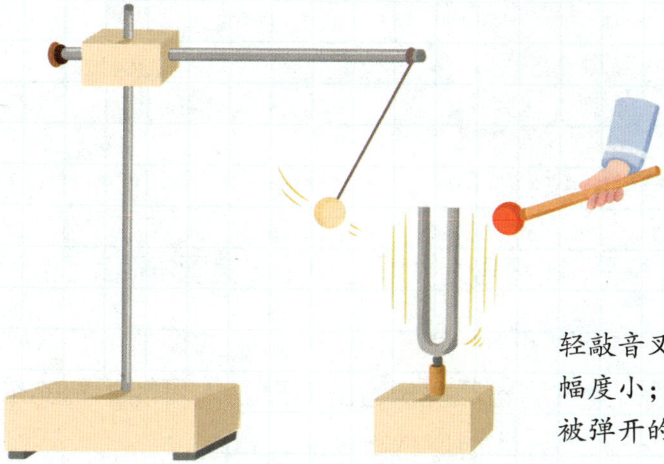

轻敲音叉，小球被弹开的幅度小；重敲音叉，小球被弹开的幅度大

响度和距离的关系

声音从声源向四面八方传播，越到远处越分散。所以人和声源的距离越近，听到的声音就越大；距离越远，听到的声音就越小。

增大响度的方法

传到人耳中的声音，响度越大，声音越清楚。那怎样才能增大响度呢？

响度和振动的振幅有关，所以增大声源振动的幅度可以增大声音的响度。

为了使听到的声音响度更大，还要减少声音在传播过程中的扩散，比如离声源近些、双手合拢做成喇叭状等。

分贝与分贝仪

响度的单位是分贝，符号为 dB。分贝是以美国发明家亚历山大·格拉汉姆·贝尔的名字命名的。

我们一般用分贝仪测量环境声音的响度。人耳能听到的最弱声的响度是 0 分贝，30 ~ 40 分贝是较理想的安静环境。

“电话之父”——贝尔的故事

1875 年 6 月 2 日，美国发明家贝尔和助手沃特森成功进行了电话实验。

当时全球通用的还是电报，但是电报不能直接传递声音，所以贝尔对远距离传送声音非常感兴趣。在一次实验中，贝尔不小心把硫酸溅到了腿上，他痛得喊叫起来：“沃特森先生，快来呀，我需要你！”而在另一个房间工作的助手沃特森，从实验装置中听到了贝尔的声音。这是人类通过电话传送的第一句话。

贝尔在得知自己实验的电话能够传送声音后，当天晚上，他给母亲写信：“朋友们各自留在家里，不用出门也能交谈的日子就要到来了！”

此后，贝尔和沃特森继续改进装置，并于 1876 年成功获得了电话专利。

什么是声音的特色

有人从背后喊你的名字，你不回头看也能听出来是妈妈的声音。这是为什么？

声音的特色

不同物体发出的声音，即使音调和响度相同，我们也能分辨它们。这是因为不同的发声体本身的特征不同。

音色

声音的特色叫音色。

不同声源的材料、结构、发声方式等不同，其音色也就不同。

影响音色的主要因素

音色是由发声体的材料、结构、发声方式等决定的。发声体发生变化，音色也会发生变化。

乐音和乐器

歌手的歌声、演奏家演奏的乐曲声，这些悠扬、悦耳的声音称为乐音。

为了演奏出不同的乐音，人们发明了各种各样的乐器，不同乐器的音色各不相同。乐器主要分为三种类型：打击乐器、弦乐器和管乐器。

敲打瓷碗辨好坏

人们挑选瓷碗时总要敲一敲，这一敲就能辨别瓷碗的好坏：好瓷碗能发出清脆响亮的声音，坏碗却只能发出沙哑的闷声。这是为什么呢？

我们知道，敲击物体会引起振动，从而发出声音。完好的瓷器被敲后，各部分能协调一致地振动；有裂纹的瓷器被敲后，各部分振动不协调，所以它们的音色也就不同了。

当物体内部有气体、液体或固体时，振动情况也不同，如敲击空碗、装水的碗和装米的碗，发出的声音各不相同。摸清了这些规律，我们就能用敲击的办法探测物体内部的情况了。

噪声是什么

晚上休息时，一阵刺耳的汽车鸣笛声将你从睡梦中吵醒，你感到烦躁郁闷。周围还有哪些令你讨厌的声音？

噪声

从物理学的角度来讲，噪声就是声源做无规律的、间歇的或随机的振动所发出的声音。噪声的频率、强弱变化毫无规律。

从环境保护的角度来讲，凡是影响人们休息、学习、工作的声音，以及对人们想听的声音产生干扰的声音，都属于噪声。

噪声的危害

环境噪声超过 90 分贝，人的听力会受损，并可能引发神经衰弱、头痛、高血压等疾病。如果噪声超过 150 分贝，可以瞬间致聋，人的鼓膜会破裂出血，双耳失聪。

为了保护听力，声音不能超过 85 分贝；为了保证学习和工作，声音不能超过 70 分贝；为了保证休息和睡眠，声音不能超过 50 分贝。

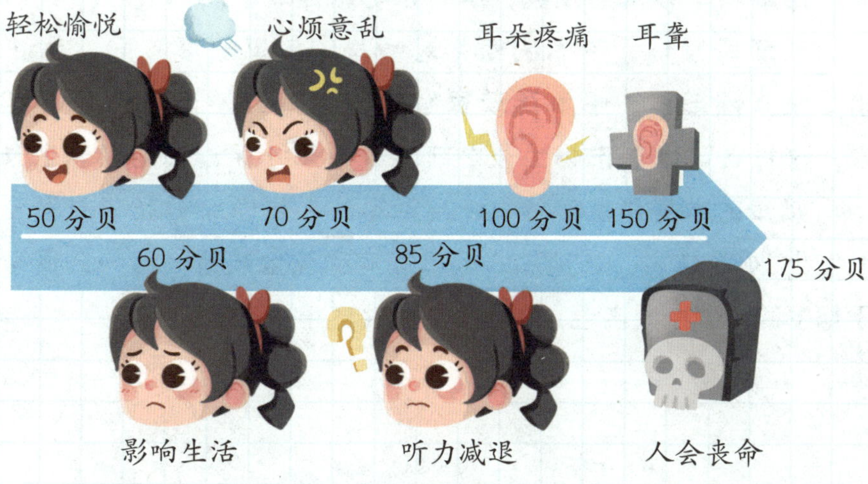

噪声的分类

交通运输噪声：随着公路和铁路的兴建，城乡车辆数量的增加，机动车辆的噪声已成为城市噪声的主要来源。

工业机械噪声：在工业生产过程中，各种机械工作时会产生噪声。

建筑施工噪声：城市建筑开发、基础设施建设、旧城区改造和室内装修等都会产生噪声。

社会生活噪声：社会活动和家庭生活，如商业中心、娱乐场所、运动场、高音喇叭、家用电器等，也会产生噪声。

交通运输噪声

工业机械噪声

建筑施工噪声

社会生活噪声

有用的噪声

随着科学技术的发展，噪声也可以为我们所用。

科学家发现，不同的植物对噪声的敏感程度不同，由此研制出了噪声除草器。噪声除草器发出的噪声能使杂草的种子提前萌发，这样就可以在作物生长之前除掉杂草，保证作物顺利生长。

噪声的本质是发声体做无规则振动，科学家据此研制出了一种能发出 2000 赫兹、高达 120 分贝噪声的除尘装置，这种装置可以用于烟囱除尘，控制高温、高压、高腐蚀环境中的尘粒，减少大气污染。

怎样防治噪声

当噪声影响到了人们的生活、学习和工作时，就形成了噪声污染。人们把噪声叫作“隐形杀手”，怎样才能避免出现噪声或有效地减弱噪声呢？

防治噪声的原理

声音从产生到让我们听到，有以下三个阶段：

声源的振动产生声音——空气等介质传播声音——鼓膜的振动使人听到声音。

因此，防治噪声也要从这三个方面着手：

防止噪声产生——阻断噪声传播——防止噪声进入耳朵。

从声源处控制或减弱噪声

居民区限时禁止鸣笛、高考时段工地限区域停止施工等，这些都是从声源处控制噪声。

选用低噪声的机器，给机器增设专门的减振垫，给汽车或摩托车安装消声器，将产生噪声的机器用吸声材料包围起来等，这些都是采用吸声、减振、隔振等技术从源头上减弱噪声。

在传播途径上隔离、吸收噪声

在高架桥两侧、铁路沿线、公路沿线等设立隔声屏障，在道路与住宅区之间合理建造隔声林、绿化带，可以起到吸声、隔声的效果；还可以在建筑设计中使用环保的吸声、隔声、隔振材料。

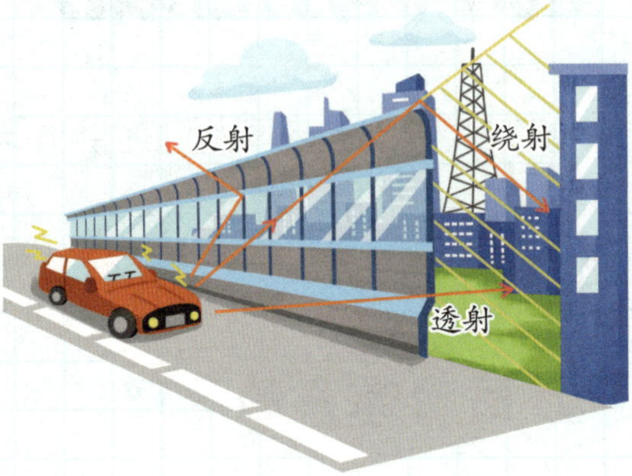

在人耳处减弱噪声

工人长期在噪声环境中工作时，要佩戴个人防护装备，如耳塞、耳罩等。

我们应当增强噪声污染的防治意识，加强噪声污染防治的管理，自觉减少社会生活噪声排放，积极开展噪声污染防治活动，共同维护生活环境和谐安宁。

降噪耳机

降噪耳机是利用某种方法降低噪声的耳机。降噪耳机分为主动降噪耳机和被动降噪耳机。

主动降噪耳机：通过麦克风收集外部噪声，降噪系统产生与外界噪声反相位的声波，将噪声抵消，从而实现降噪的效果。

被动降噪耳机：将耳朵与外部噪声隔离，主要通过包围耳朵形成封闭空间，或者采用硅胶耳塞等隔声材料来阻挡外界噪声。

如何利用声音

人听见雷声就想到要下雨，这是声音在传递信息。在某些特定条件下，人的声音还能震碎玻璃杯，这是声音在传递能量。

除了人类，你知道动物也会利用声音吗?

利用声音传递信息

蝙蝠利用超声波判断前方是应该躲避的障碍物还是要捕捉的昆虫。这说明声音可以传递信息。

现在，大部分汽车都安装了倒车雷达。安装在车尾的探头发出超声波，超声波碰到障碍物后反射声波，从而计算出车体与障碍物之间的实际距离，然后提示司机，使停车或倒车更容易、更安全。

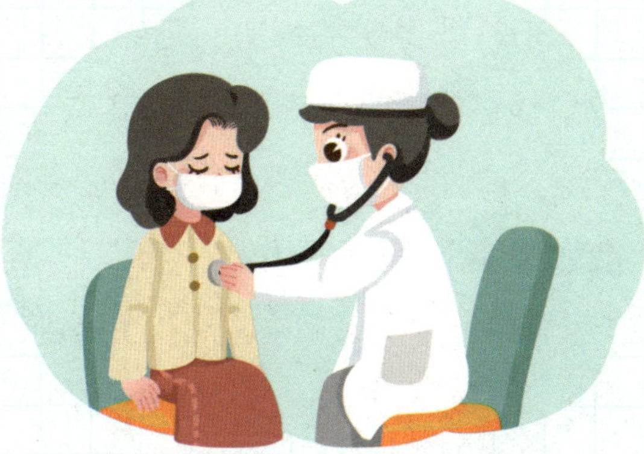

医生使用听诊器了解病人心、肺的工作状况。胸件中的振膜可以将心脏瓣膜振动产生的声音放大，并通过皮管、耳件传到医生的耳朵里。

渔夫使用鱼群探测器探测到大鱼群后才放下大渔网、拖网。这种鱼群探测器实际上是声呐技术的应用。声呐不仅可以探测鱼群，还可以探测海洋的深度，绘制水下地形图。

超声波探伤仪可以检测、定位工件内部的多种缺陷，如裂纹、疏松、气孔等。

次声波可以监测地震、火山喷发等自然灾害。

利用声音传递能量

把正在发声的扬声器对准蜡烛的火焰，烛焰会不停地晃动。将纸屑撒在音响上，随着音响发出声音，纸屑也随之“跳舞”。过大的噪声会导致耳朵有疼痛感。

以上都是利用声音传递能量的事例。

智能语音识别与声纹锁

我们每个人的声纹都是独一无二的，就像指纹一样。因此，通过分析语音中的声纹特征，如音高、音色、频率等，就能提取出每个人特有的声纹信息。

声纹锁是一种利用声纹识别技术来验证身份的锁具。它通过分析用户的声纹特征，与预先存储的声纹模板进行比对，来确认用户的身份。

智能语音识别技术的应用很广泛，比如，用户可以通过语音控制家中的智能设备（如智能灯泡、智能空调、智能音箱等）。用户可以说“打开卧室灯”或“播放轻音乐”，智能家居系统便能立即执行相应的操作。

自动驾驶汽车的智能语音识别技术可以帮助司机通过语音与车辆进行交互，如设置导航目的地、调整车内温度等。

在办公、学习等场景中，智能语音识别技术可以替代传统的键盘输入，提高输入效率。用户可以通过语音输入文字、发送邮件、搜索信息等。

声控灯

晚上，当你在楼道里发出声音时，灯就会亮，过一会儿又会熄灭。这是为什么？

声控灯通常指的是声光控灯，结合了声音和光线两种控制方式。夜晚或光线较暗时，光控开关处于闭合状态，此时声控开关才能起作用。当有人经过该开关附近时，脚步声、说话声、拍手声等均可触发声控开关让灯亮起来，经过一段时间后，声控开关自动关闭（灯灭）。

白天即使有很大的声音，声控灯也不会亮，这是因为光线较强，光控开关处于断开状态。

什么是回声

你对着远处的大山喊话，大山也对你喊一样的话。大山为什么要学你说话?

回声

声音以声波的形式进行传播，声波在传播的过程中，如果遇到障碍物就会被反射，反射回来的声音就是回声。

人耳听见回声的条件

人耳能够分辨出两个声音的最小时间间隔是 0.1 秒，间隔小于 0.1 秒的两个声音是分辨不出来的。当回声与原声的时间间隔大于 0.1 秒时，人耳就能听见回声。否则，回声与原声混在一起，仅能起到使原声加强的效果。

所以，人耳能听见回声的条件是反射声足够响，与原声的间隔大于 0.1 秒。也就是说，在空气中，人与障碍物的距离要超过 17 米。

回声定位

蝙蝠在夜间飞行时发出超声波，这些声波碰到障碍物或昆虫时会被反射回来，根据回声到来的方位和时间，蝙蝠可以确定目标的位置。

蝙蝠采用的方法叫回声定位。

回声测距

当声源不动时，声波从发出到返回的路程是声源到障碍物距离的两倍。所以，声源到障碍物的距离等于声音传播路程的一半。

根据声音传播的速度，以及接收到回声所用的时间，就可以测出距离了。

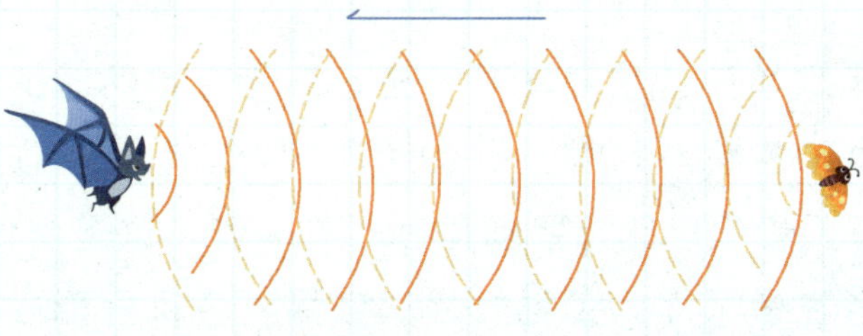

声呐的全称是声波导航与测距，是一种利用超声波在水下的传播特性，对水下目标进行探测、定位以及与目标进行通信的技术

人回声定位术

回声定位术能让盲人全方位感知周围的环境。经过培训后，盲人运用这种方法由听到回声的时间判断物体的距离；由左耳先听到还是右耳先听到来判断物体的方位；由回声强度判断物体的大小；由回声音调判断运动物体前进的方向，比如当物体背向盲人运动时，回声音调较低。

回声抵消

在电话或视频会议中，由于扬声器播放的远端声音被本地麦克风再次拾取，会导致出现回声。为了解决这个问题，可以使用回声抵消技术，通过检测回声并自动抵消它，从而改善通信质量。

音乐厅的墙壁

音乐厅是举行音乐会及其他与音乐相关的活动的场所，著名的音乐厅有中国国家大剧院、维也纳音乐厅、悉尼歌剧院、阿姆斯特丹音乐厅等。音乐厅的墙壁都是凹凸不平的，这是为什么？

当声音在音乐厅内传播时，遇到墙壁会反射形成多次回声。音乐厅的空间较大，回声与原声进入人耳的时间差大于 0.1 秒，能够被人耳分辨出来，这样就会造成音乐厅内的声音非常嘈杂。如果把墙壁做成凹凸不平的，可以让声波向不同的方向散射，避免局部回声过强，这样就能保证有较好的听觉效果。

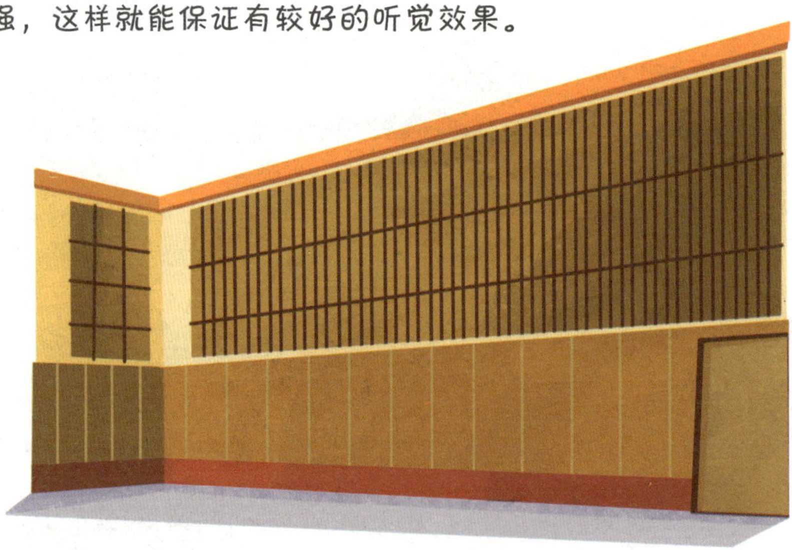

小实验：开一场家庭音乐会

实验器材

几个外观完全一样的玻璃杯、玻璃棒（也可用筷子代替）。

实验步骤

1 制作水杯乐器：向玻璃杯中注入不同高度的清水。

2 调试音调魔法：拿起玻璃棒，依次轻轻敲击玻璃杯杯口。根据发出音调的高低，增加或减少水量，调节音调。

3 奏响欢乐乐章：尽情敲击不同的玻璃杯进行演奏，开一场欢快的家庭音乐会吧。

4 组建单人乐队：尝试将玻璃杯换成其他能发出清脆声响的容器（如陶瓷或金属），也可尝试更换容器内的液体，如换成食用油，感受一下不同音色的乐器吧。

解析

音调由物体振动的频率决定。玻璃杯受到敲击从而带动杯内水柱和空气振动，水量不同导致水柱高度不同，从而振动的频率不同，自然就会产生不同的音调。

玻璃杯和玻璃棒都是易碎品，敲击时注意不要用力过猛，敲坏了哦。

第二章

看见世界的光明

阳光照耀大地，湖水倒映朝霞，鱼儿游在清澈的水中，晨跑的人投下长长的影子，游客用照相机拍下美好的瞬间，高楼大厦的玻璃反射出刺眼的光……

如果没有光，世界将是一片黑暗，也将极度寒冷；如果没有光，很多植物不能进行光合作用产生氧气，很多动物将无法生存，人类也将无法生活。光给世界带来光明和温暖，本章我们一起学习光的知识。

什么是光源

因为有了光，我们才能看见这个世界，感受世界的温暖。那么，光是一种什么物质？又是从何而来？

光源

能够自行发光并且正在发光的物体才是光源。例如，打开开关，亮着的台灯是光源；关闭开关，台灯不再发光，也就不再是光源。

光源的分类

光源可以分为自然光源（天然光源）和人造光源。

常见的自然光源有恒星、萤火虫、发光水母等。

常见的人造光源有亮着的电灯、燃烧着的蜡烛和火把等。

月球为什么不是光源

月球不发光，当阳光照射到月球朝向太阳的那一面时，阳光会被月球反射到地球上，于是在晚上就看见好像是月球发出的光。

月光不是月球自身发出的光，所以月球不是光源。

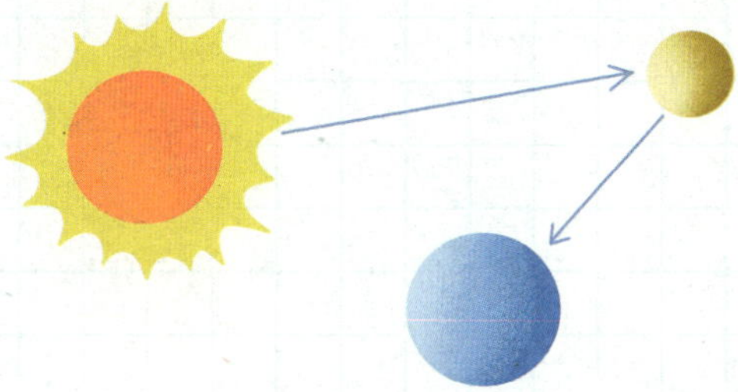

夜晚看到的月光，不是月球自身发出的光，而是月球反射的太阳光

古人是如何照明的

远在周朝以前，火是晚上照明的主要工具。《晏子春秋》里说“日暮，公呼具火”，这里的火实际上就是晚上点燃的木柴。

战国时期，古人把野兽的脂肪用作燃料，再把灯芯放在油脂中，点燃灯芯用来照明。《楚辞》里的“兰膏明烛”说的就是这种用动物油脂做的灯。

汉朝时期出现了一种用蜂蜡做的块状蜜烛，使用时先把蜜烛熔化，再点燃。唐宋时期已经出现了蜡烛，韩翃的诗《寒食》里写道：“日暮汉宫传蜡烛，轻烟散入五侯家。”说的就是用白蜡做的蜡烛，这种白蜡是白蜡虫的分泌物。

电灯在清朝末期开始传入我国，直到现在，形态各异的电灯还是照明的主要工具。

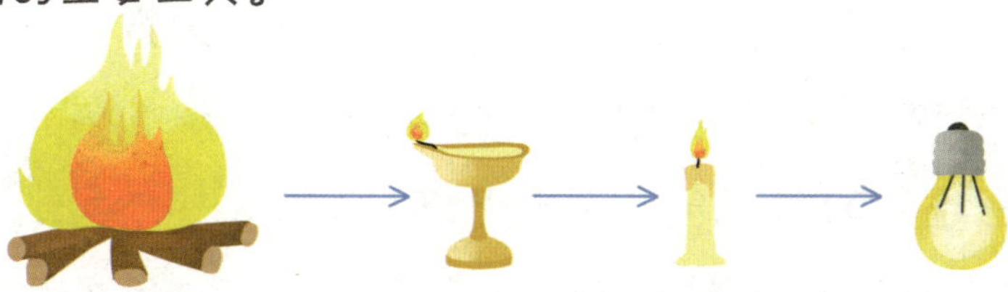

怎样描述光传播的快慢

雷雨天气，我们总是先看见闪电，过一会儿才听见雷声，可见光的速度比声音的速度快得多。光速有多快呢？

光速

光在真空中的速度是 299792458 米 / 秒，真空中的光速是自然界中物体运动的最大速度。

不同介质中的光速

一些介质中的光速

介质	光速 /（米 / 秒）
水	225000000
玻璃	200000000
冰	230000000
酒精	220000000

光年

宇宙中恒星间的距离都非常大。为了表达起来方便一些，天文学家使用了一个非常大的距离单位——光年。

光年是距离单位，1 光年等于光在 1 年内行进的距离，约为 9.46 万亿千米。

迈克尔逊测量光速实验

第一个把光速测量精度大幅提高的人是美国物理学家迈克尔逊。迈克尔逊在两座相隔很远的山上分别放置了一个八面镜 M_1 和两个固定的反射镜 M_2、M_3，让一束光经过八面镜的镜面 1 反射后发出，再通过 M_2 和 M_3 反射回八面镜，经过镜面 3 反射后进入目镜 R。

现在让八面镜旋转起来，通过调整转动的速度，当镜面 1 刚好倾斜 45 度时，光线经过镜面 1 反射，经过 M_2 和 M_3 反射回来，并进入目镜。当光线返回到八面镜时，八面镜刚好转动 $3\frac{1}{8}$ 圈，此时镜面 2 刚好转到图中镜面 3 的位置，将光线反射进目镜 R。由于八面镜不停地旋转，从目镜中一直可以看到光。根据光走过的路程和八面镜转动 $\frac{1}{8}$ 圈的时间，就可以计算出光速了。

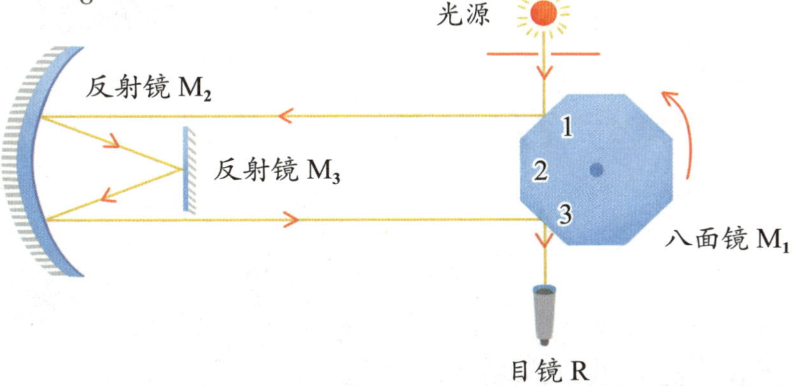

光是如何传播的

生活中，光几乎随处可见，屋里的灯光、晴天时的阳光、夜空中的星光……光是如何传播的呢？

光的直线传播

阳光照射到茂密的树林中，从枝叶间透过的光束是直的；从小窗照进房间的阳光是直的；投影仪射向幕布的光束也是直的……

大量的观察事实说明，光在同种均匀介质中沿直线传播。

光线

光在同种均匀介质中沿直线传播，我们可以用一条带有箭头的直线表示光的传播路径和方向，这样的直线叫作光线。

由于光沿直线传播，所以在开凿隧道时，工人可以用激光束引导掘进机，使掘进机沿直线前进，保证隧道方向不出偏差。

光沿直线传播的现象

影子、日食、月食、小孔成像、茂密树叶下的光斑，都是生活中常见的光沿直线传播的现象。

成语“立竿见影”“一叶障目，不见泰山”，说的也是光沿直线传播的现象。

光沿直线传播的应用

列队看齐、激光准直、射击瞄准，都利用了光沿直线传播的原理。

排队时，当你只看见前面的人，而其他人都被挡住时，说明你们都位于一条直线上了

几何光学

光的直线传播是几何光学的重要基础，利用它可以简明地解决成像问题。人眼就是根据光的直线传播来确定物体或像的位置的，这也是几何光学的一部分。

探究光在水中的传播路径

实验目的：探究光在水中的传播路径。

实验材料：玻璃水槽、搅拌棒、激光笔、水、牛奶。

实验步骤：1. 向玻璃水槽中加入适量水。

2. 把牛奶滴入盛有水的玻璃水槽中，并搅拌均匀。

3. 用激光笔将一束光射向水中，观察光在水中的传播路径。

实验现象：光在水中沿直线传播。

实验结论：在同种均匀的介质中，光沿直线传播。

实验原理：水中滴加牛奶后，水中均匀分布着许多微小颗粒，当一束光线照射过来时，微粒会使光发生散射，就可以看到水中出现一条光亮的“通路”，这种现象叫作丁达尔效应。

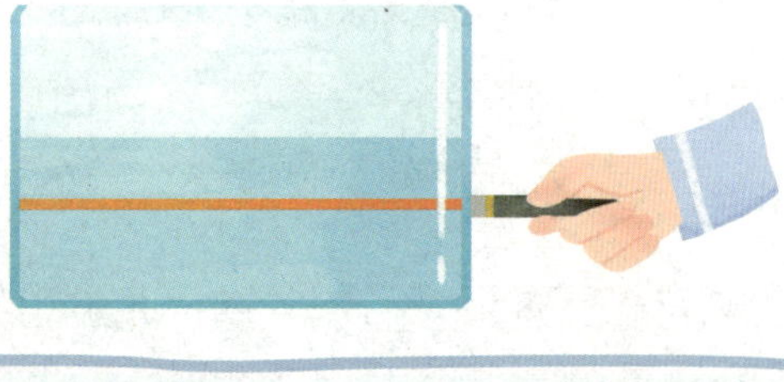

物体的影子与物体的关系

在生活中，我们发现有些时候影子很清晰，有些时候影子却很模糊。物体的影子与物体有关系吗？

不透明物体与影子

当光线遇到不透明物体时，不透明物体的材质阻挡了光线，因此光线无法继续传播。在物体的背后，光线无法到达的区域就会呈现黑暗，也就是我们所说的影子。

不透明物体形成的影子通常比较清晰，边缘分明。

半透明物体与影子

半透明物体允许部分光线通过，也会阻挡部分光线。因此，当光线照射到半透明物体时，一部分光线会透过物体，而另一部分则会被阻挡。

半透明物体形成的影子相比不透明物体形成的影子要模糊一些，

因为部分光线仍然能够透过物体。影子的边缘可能不那么清晰，而且可能呈现出一定的透明感。

透明物体与影子

透明物体允许大部分光线通过，几乎不阻挡光线。因此，当光线照射到透明物体时，大部分光线都会穿过物体，只有极少部分会被反射或散射。

透明物体通常不会形成明显的影子。在观察透明物体时，我们更多的是看到光线穿过物体后形成的图像或轮廓，而不是影子。

影子的利用

古人用影子的长短来计时，制作了日晷和圭表。

皮影戏是利用影子表演剧目的艺术形式，是我国的一种传统戏曲。皮影戏是用皮革或纸板做成人物剪影，表演时用灯光将剪影投射在幕布上，演员在幕后一边操纵一边演唱。

科学家用月球上山峰的影子计算出了山峰的高度。

日晷如何告诉我们时间

古人通过对自然现象的不断观察，逐渐掌握了日升日落、月亮圆缺的变化规律，制成了圭表和日晷。日晷就是利用太阳的影子来测定时间的工具。

日晷由晷盘、晷针和底座组成，晷盘上标有十二个方位和十二个时辰，每个时辰又分为两个小时：时初和时正。日晷上下两面时间的刻画方向是相反的，上表面逆时针，下表面顺时针。春分到秋分，晷针在上表面有投影，这半年使用日晷的上表面。秋分至次年春分，晷针只能在下表面投影，这半年就使用日晷的下表面。春分和秋分时，太阳的运行轨道与晷盘所在的平面平行，阳光照射日晷侧面，晷针没有投影，不能标示时间。

什么是小孔成像

烈日炎炎，大树下的地面上有一个个圆形亮斑。这是阳光透过树叶的间隙照在地面上形成的。但是树叶之间的空隙形状各异，为什么亮斑恰好都是圆形的呢？

小孔成像

在物体与屏幕之间放一块挡板，挡板中心开一个小孔，屏幕上会形成物体的一个倒立的像，这种现象称为小孔成像。

大约 2400 年前，我国的墨子和他的学生就做了世界上第一个小孔成像实验。

小孔成像的原理

小孔成像的原理是光在同种均匀介质中沿直线传播。

小孔成的像是倒立的

烛焰上端发出的光通过小孔，照在屏幕下部；烛焰下端发出的光通过小孔，照在屏幕上部。所以屏幕上会形成一个倒立的像。

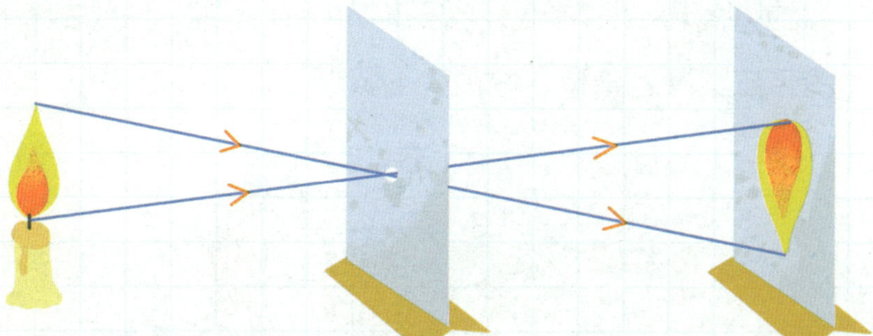

小孔成像的特征

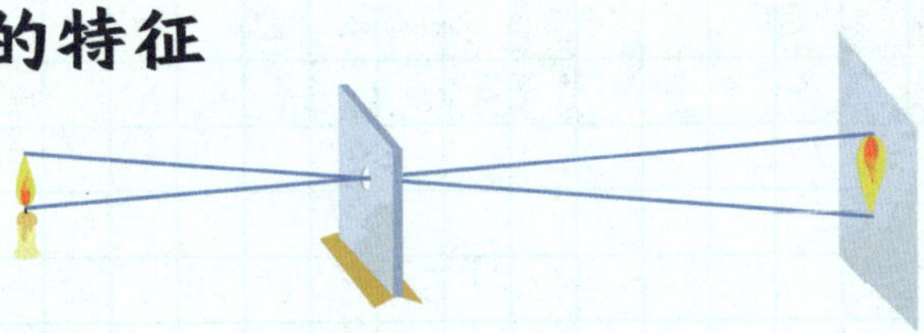

烛焰到小孔的距离小于小孔到屏幕的距离，成倒立、放大的实像。烛焰越靠近小孔，像越大；如果离得过近，像会变暗。

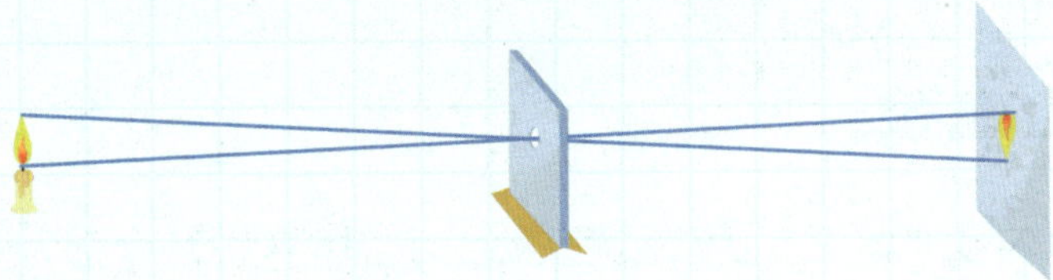

烛焰、小孔、屏幕三者之间的距离一样，成倒立、等大的实像。

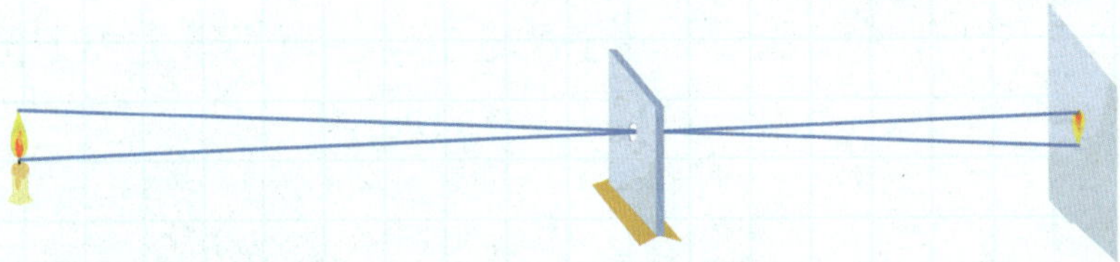

烛焰到小孔的距离大于小孔到屏幕的距离，成倒立、缩小的实像。屏幕越靠近小孔，像越小、越亮。

小孔成像与孔的形状、大小的关系

小孔成像与孔的形状没有关系。

如果烛焰、小孔、屏幕的位置不变，当孔比较小时，通过的光线就会少，像的亮度也会比较低。当孔相对比较大时，烛焰的不同部分发出的光线会在屏幕上重叠，像也就不清晰了。

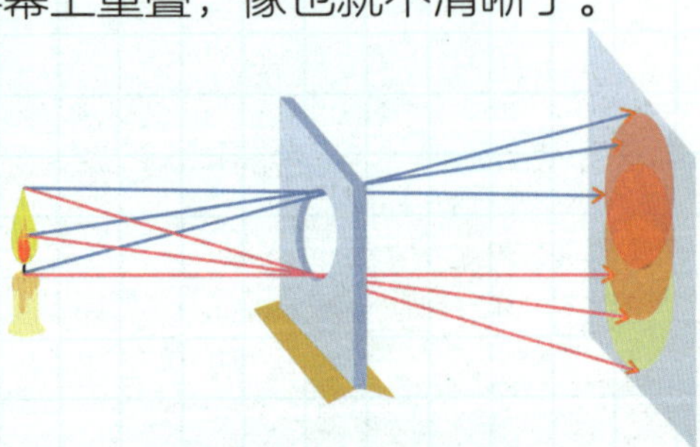

针孔相机

针孔相机利用了小孔成像的原理，即光线通过一个小孔时，可以在小孔背后的屏幕上形成倒立的实像。这种相机没有透镜，完全依靠小孔成像，因此成像质量受到小孔大小、位置和光线条件的影响。

小罅（xià）光景

我国古代的光学研究有许多辉煌的成就，《墨经》和《梦溪笔谈》对光的直线传播、小孔成像等现象就有记载。其中，对小孔成像最有研究并且最早进行实验的是元代的赵友钦，这些实验被记载在《革象新书》的“小罅光景”中。

赵友钦在浙江龙游鸡鸣山建造了“小孔成像”实验楼。他在房子左右两侧各挖了一口井，右井深 4 尺，左井深 8 尺。井内各有一块直径 4 尺的圆板，上面各放置 1000 根蜡烛作为光源。井口各覆盖一块直径 5 尺的圆板，左板开孔 1 寸，右板开孔半寸。左井内可以通过放置桌子来调整光源到小孔的距离。在房顶悬挂两块水平的大木板作为光屏，也可以直接将房顶天花板当作光屏。

赵友钦研究了小孔口径、小孔形状、光源到小孔的距离、光屏到小孔的距离、光源大小等因素对成像的影响。这样大的实验装置、这样系统的实验设计，在世界物理学史上都是具有开创性的。

日食和月食是怎样形成的

2022 年 11 月 8 日晚，月全食上演，我国大部分地区可以看到月全食。除了月食，还有日食。日食和月食是如何形成的呢？

黄道和白道

地球围绕太阳公转的轨道称为黄道，月球围绕地球公转的轨道称为白道。黄道平面与白道平面不是重合的，它们之间有一个 5° 左右的夹角。

只有当月球运行到黄道和白道的交点附近时，日、地、月在一条直线上，这时才会发生日食或月食。

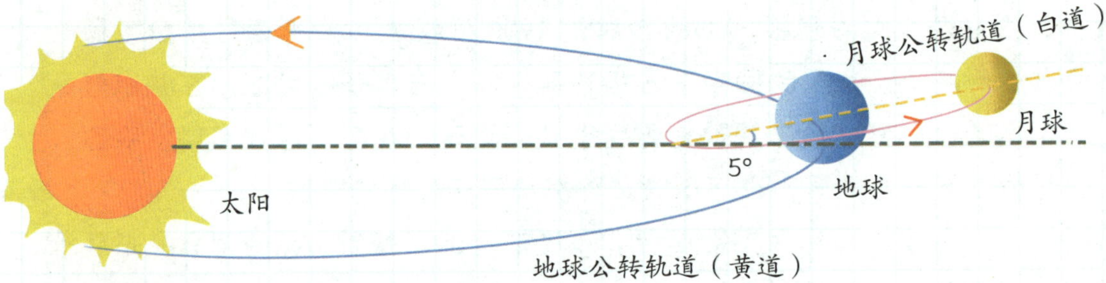

日食的形成

日食，又叫日蚀，民间传说称此现象为“天狗食日”。

月球绕着地球转，地球绕着太阳转。当月球运行到太阳和地球中间，并且日、月、地在一条直线上时，月球就会挡住太阳射向地球的光。在地球上处于月影中的人，只能看到太阳的一部分或全部看不到，于是就发生了日食。

日全食、日环食和日偏食

月球绕地球运行的轨道是椭圆形的，因此月球离地球有时远，有时近。

当月球离地球较近时，月球的本影能到达地球表面，地球上处在月球本影范围内的人会看到整个太阳被月球遮住，这就是日全食。

当月球离地球较远时，月球的本影不能到达地面，而它的延长线经过地面，地球上处在月球伪本影范围内的人，就能看到一个中心被月球遮挡、周围发光的光环，这就是日环食。

地球上处在月球半影范围内的人，看到的是部分太阳被月球遮住，这就是日偏食。

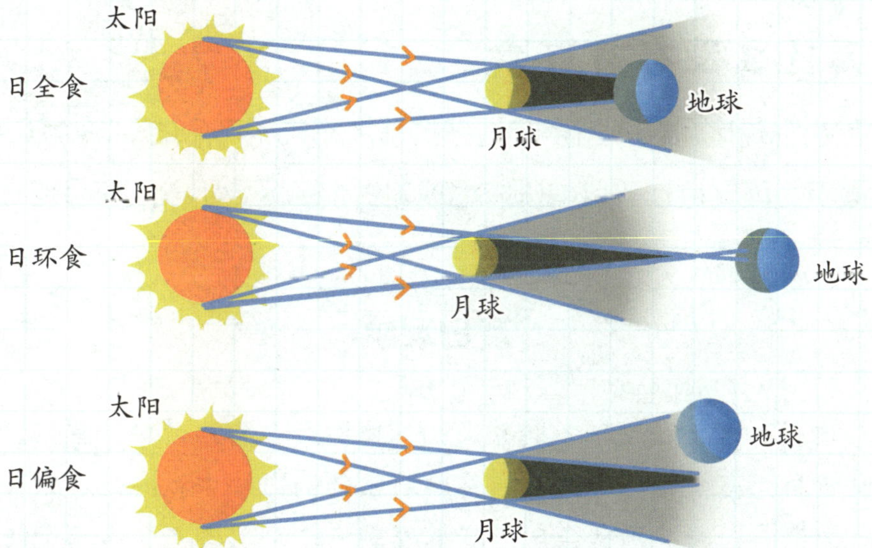

日食的特点

日食只发生在朔日，即农历初一。因为只有这一天，月球才会出现在太阳与地球的连线上，月球才有可能挡住太阳而形成日食。日食从日轮的西边缘开始，于东边缘结束。

月食的形成

月食，又称月蚀。当月球进入地球的阴影时，原本被太阳光照亮的月球，有部分或全部不能被照亮，而月球本身并不能发光，这时地球上的人会看到月亮变暗或呈现出古铜色，于是就发生了月食。

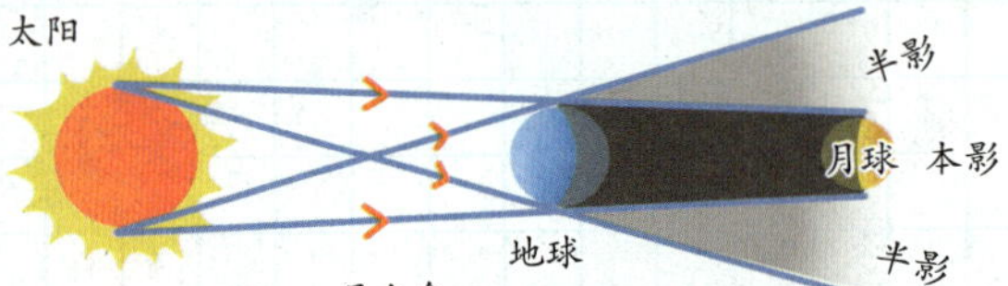

月全食

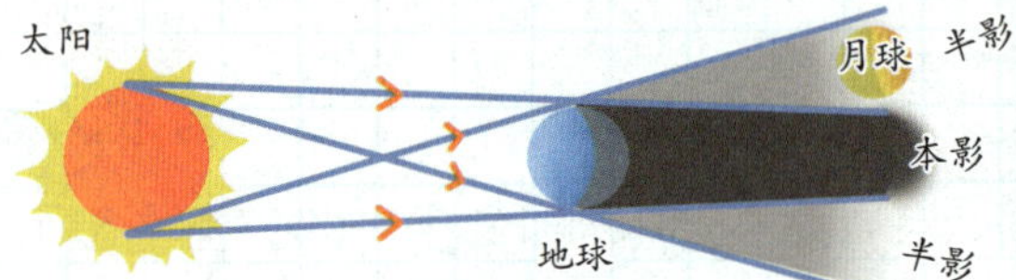

半影月食

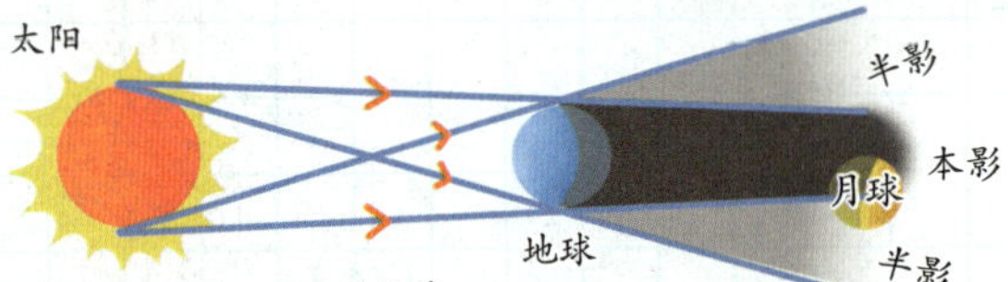

月偏食

为什么没有月环食

因为地球比月球大得多，地球挡住太阳光所产生的阴影大于月球的横截面积，因此月球不可能进入地球的伪本影区，所以没有月环食。

凌日现象

水星和金星在地球公转轨道的内侧运行，称为“内行星”。水星和金星距离太阳比地球近，在绕日公转的过程中有时处在太阳与地球之间。这时，地球上的人可以看到一个“黑圆点”在日面上缓慢移动，这就是凌日现象。

地球、金星、水星的公转轨道不在同一个平面上，因此凌日现象不是经常发生。水星凌日约每 100 年发生 13 次，金星凌日每 243 年只有 4 次。2003 年 5 月 7 日发生了水星凌日，2004 年 6 月 8 日发生了金星凌日，上一次金星凌日发生在 1882 年。

什么是光的反射

天气晴朗时，我们拿一面镜子在太阳光下调整角度，可以在黑暗的房间墙壁上看见一个光斑。这是怎么形成的？

光的反射

光从一种介质射向另一种介质时，在两种介质的分界面上，一部分光改变传播方向并返回到原来介质中的现象，叫作光的反射。

光遇到水面或镜子等物体的表面时都会发生反射。

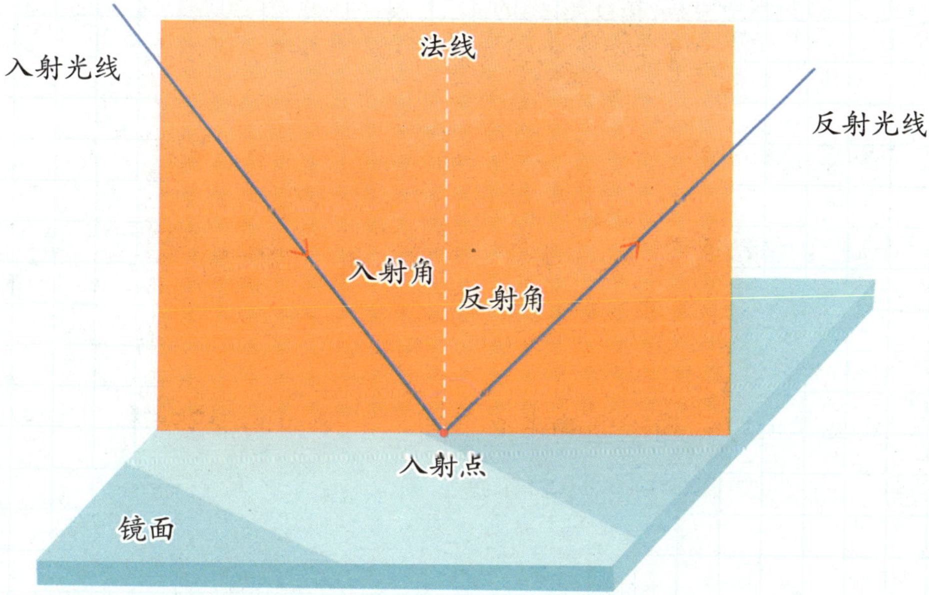

光的反射定律

（1）在反射现象中，反射光线、入射光线和法线都在同一平面内。

（2）反射光线、入射光线分别位于法线两侧。

（3）反射角等于入射角。

镜面反射

光线照到光滑的表面上，会发生镜面反射。镜面反射遵循光的反射定律。

镜面反射的入射光如果平行，反射光也平行，其他方向上的反射光很弱。

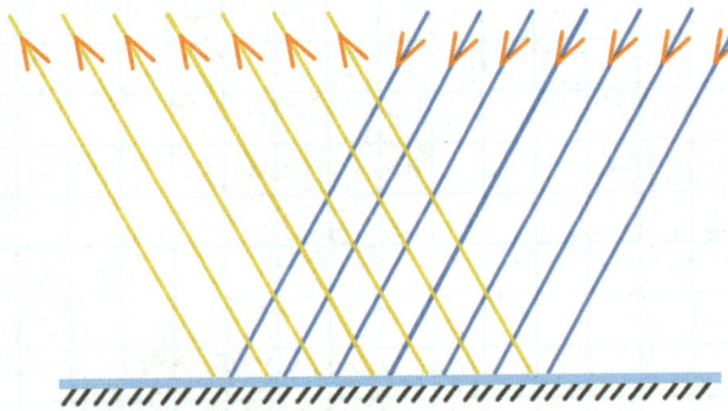

漫反射

生活中的很多物体，虽然表面看起来是平滑的，但实际上是凹凸不平的。凹凸不平的表面会把光线向四面八方反射，我们才可以从不同方向看到物体。

像这种光线照到粗糙的表面上发生的反射叫作漫反射。漫反射的每一条光线都遵循光的反射定律。

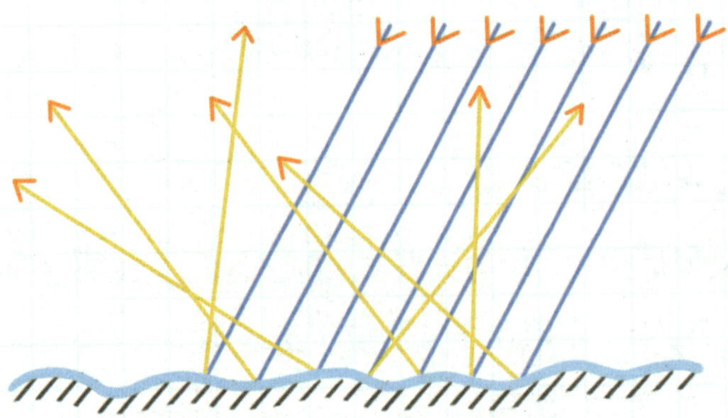

方向反射

实际地物表面由于地形起伏，会在某个方向上反射最强烈，这种现象称为方向反射。它是镜面反射和漫反射的结合，其反射光在某个方向上最强。这种反射的规律较为复杂。

制作简易潜望镜

准备材料：

剪刀、纸盒、两面镜子、胶带、胶水。

制作步骤：

1. 在纸盒相对的两个长侧面上，画出两个长方形小窗的轮廓。小窗分别画在侧面的一头一尾，宽度和镜子的宽度一致，长度大概为镜子长度的3/4。

2. 沿着画好的轮廓剪开。

3. 将两面镜子以45°的角度放到纸盒中，使它们互相保持平行，一边调整镜子的角度，一边从底部的小窗观看，确定是否能看到外面的风景。

4. 确定镜子的合适位置后，用胶水把镜子固定在纸盒中。

5. 盖上纸盒的盖子，用胶带把纸盒密封。

简易潜望镜就制作成功了，快来用它试试看吧！

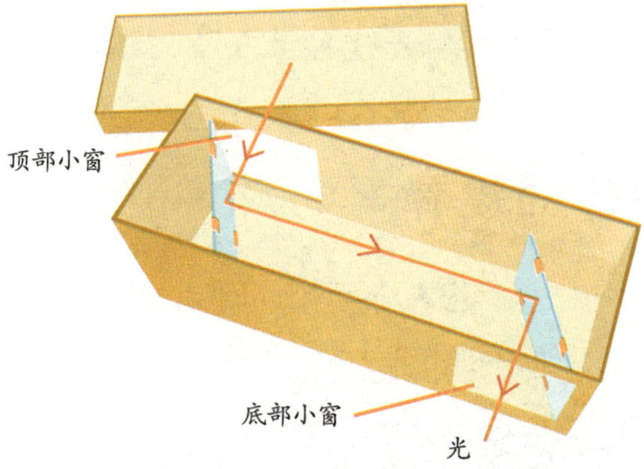

光的反射有什么应用

当你照镜子时，可以在镜子里看到另外一个“你”，镜子里的“你”就是你的“像”。这个“像”是怎么形成的呢?

平面镜成像

我们照镜子时，太阳光或灯光照射到人身上，被反射到平面镜上，平面镜又将光反射到我们的眼睛。因此，我们看到了自己在平面镜中的像。这就是平面镜成像。

平面镜成像的原理

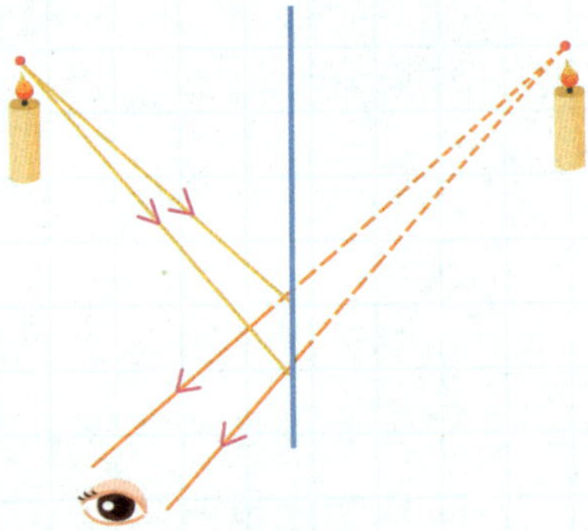

物体发出（或反射）的光射到镜面上时发生反射，由反射光线的反向延长线在平面镜后相交形成的像，就是平面镜所成的像。

这个像是由反射光线的反向延长线会聚而成的，并不是由实际光线会聚而成的像，所以平面镜成的是虚像。

平面镜成像的规律

（1）平面镜所成的像的大小与物体的大小相等，左右相反。

（2）像和物体到平面镜的距离相等。

（3）像和物体的连线与镜面垂直。

平面镜成像的规律也可以表述为：平面镜所成的像与物体关于镜面对称。

水中倒影的形成

平静水面的倒影是平面镜成像，其原理是光的反射。平静的水面相当于平面镜，平面镜成的像与实物关于水面对称，所以是倒立的虚像。

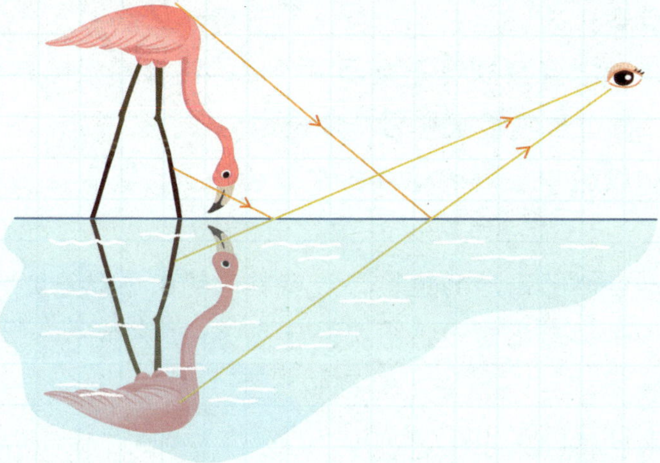

辨别夜晚的水坑

雨后的夜晚，迎着月亮走，亮处是水，暗处是地面；背对月亮走，亮处是地面，暗处是水。这是因为水面发生镜面反射，而地面发生漫反射。

标志牌

标志牌通常使用特殊的反光材料制作。当光线照射到标志牌上时，这些材料能将光线沿入射方向的反方向反射回去，使我们能够清晰地看到标志牌上的文字和图案。这种特殊的反射现象确保了即使在光线不足或恶劣的天气条件下，人们也能准确地识别和读取标志牌上的信息。因此，这种特殊的反射在标志牌的设计和应用中起到了至关重要的作用。

探究平面镜成像的特点

实验目的：

探究平面镜成像的特点。

实验器材：

两支完全一样的蜡烛、一块茶色玻璃板、火柴、刻度尺。

实验步骤：

1. 将玻璃板竖直放置于桌面并固定，在玻璃板的前面放一支点燃的蜡烛，透过玻璃板观察另一侧蜡烛的像。

2. 将相同的未点燃的蜡烛放在像的位置，观察像与蜡烛的大小关系。

3. 移动点燃的蜡烛的位置，观察其像的大小有无变化。

4. 量出蜡烛及其像到玻璃板的距离。

实验结论：

1. 像与物体的大小相等。

2. 像到镜面的距离和物体到镜面的距离相等。

3. 像和物体的连线与镜面垂直。

4. 平面镜所成的像是虚像。

什么是光的折射

鱼儿在清澈的水中游动，你朝着看见鱼的方向去叉它，却叉不到。有经验的渔民会告诉你，只有瞄准鱼的下方才能把鱼叉到。这是为什么？

光的折射

光从一种介质斜射入另一种介质中时，传播方向发生改变，从而使光线在两种介质的分界面上发生偏折，这种现象叫作光的折射。

生活中光的折射现象

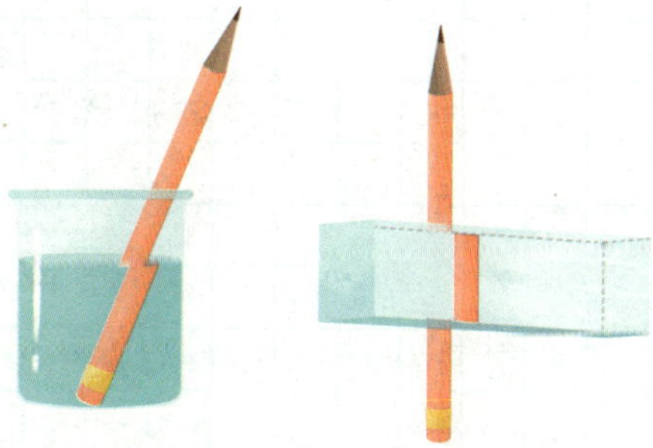

水池中的水看起来比实际浅了，潜水员在水中看岸边的树比实际的高，海市蜃楼的形成，这些都是光的折射现象。

插入水中的铅笔，由于铅笔反射的光线从水中斜射入空气中时，传播方向发生了偏折，远离法线，折射角大于入射角，所以看到铅笔好像折断了，此时看到的水中的“铅笔”实际上是铅笔的虚像。

折射定律

（1）折射光线与入射光线、法线处在同一平面内。

（2）折射光线与入射光线分别位于法线两侧。

（3）光从空气斜射入水（或玻璃）中时，折射角小于入射角。

（4）当光垂直射向两种介质表面时，传播方向不变。

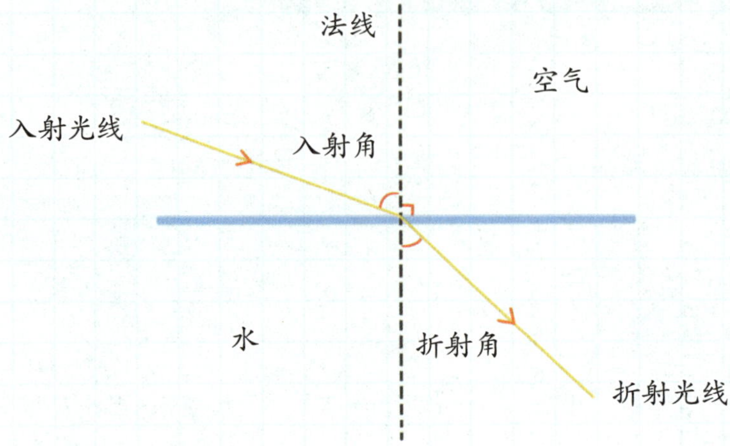

海市蜃楼

海市蜃楼是在海边或沙漠的空中出现虚幻的楼台城郭的现象，这是由光的折射产生的。

光在同种均匀的介质中沿直线传播，如果介质疏密不均，光就不会沿直线传播，而会发生折射。在夏天的海面上，空气较热，但是海水比较凉，贴近海面的空气温度比更高处的空气温度低。空气热胀冷缩，上层的空气比下层的空气稀薄，来自地平线以下远处物体的光，本来不能到达我们的眼中，但有一些射向空中的光，由于不同高度空气的密度不同而发生弯曲，逐渐弯向地面，进入观察者的眼中。

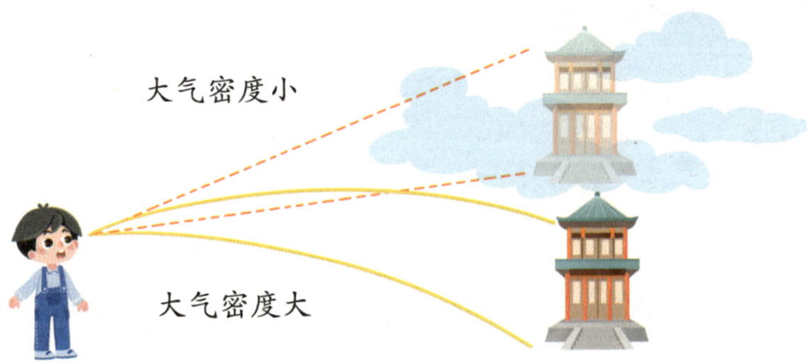

彩虹是怎样形成的

雨后刚转晴时，天空中出现一座色彩缤纷的拱形“桥梁”——彩虹。在我国古代神话中，女娲炼五色石补天，彩虹是五色石发出的彩光。那么，彩虹究竟是如何形成的呢?

光的色散

太阳光从空气进入一块形状不规则的玻璃，再由玻璃进入空气，发生了两次折射。由于不同颜色的光在玻璃中的偏折程度不同，所以它们会分散开来。这种现象叫光的色散。

色散现象说明白光不是单色的，而是由各种色光混合而成的。

单色光和复色光

不能再分解的光称为单色光。一般把红、橙、黄、绿、蓝、靛、紫等颜色的光称为单色光。

由不同单色光混合而成的光称为复色光。

彩虹的形成原理

雨过天晴，阳光射入空气中近似球形的雨滴时，先折射一次，然后在水滴的内表面反射，离开水滴时再折射一次。经过一次反射、两次折射后，形成我们所见到的彩虹。

因为水滴对光有色散的作用，不同颜色的光，偏折角度不同，其中紫光的偏折角度比红光大。由于光在水滴内发生反射，所以观察者看见的光谱是倒过来的，红光在最上方，其他颜色在下。

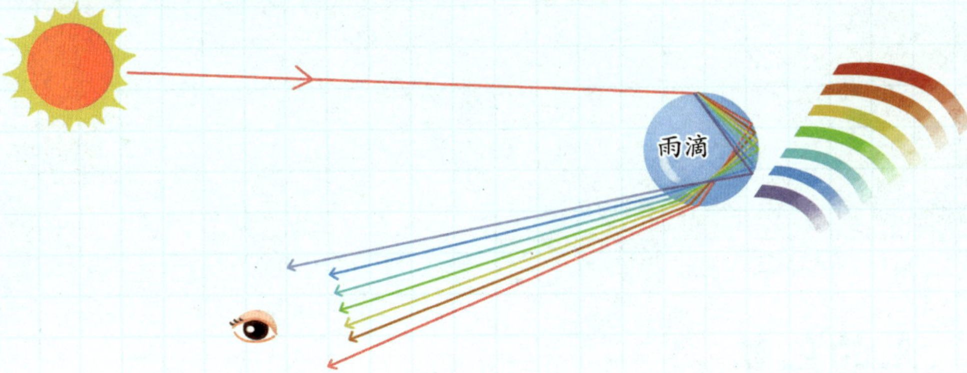

火烧云

火烧云是傍晚出现在天空中的一种自然现象，云就像被“火”烧了一样。为什么天空会通红一片呢？这和红色的光有关。

当云变多变厚时，太阳光穿过云层，波长较短的紫光、蓝光等被大气中的微粒散射开来，只留下波长较长的红光、橙光。再加上太阳要落山时，太阳光从直射地面变为斜射，这就增大了太阳光穿过大气层的距离，距离的增大也让蓝光、紫光被散射得更多。于是，傍晚的云彩看起来像是被“火”烧了一样，一片红色。

什么是透镜

放大镜可以放大报纸上的小字，还可以会聚太阳光引燃火柴等。仔细观察放大镜，会发现镜片中间比边缘厚，这其实是透镜的一种。除了放大镜，你还知道哪些生活中经常用到的透镜?

透镜

透镜是根据光的折射原理，用透明物质如玻璃、水晶等制成的透光镜片。一般透镜的两个表面都是球面的一部分，也可以一个是球面的一部分、一个是平面。

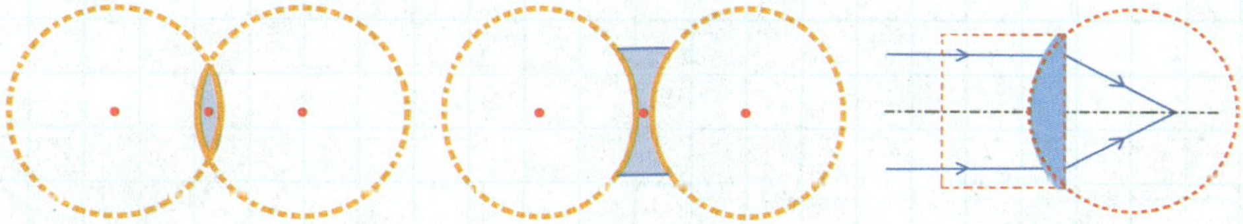

凸透镜和凹透镜

中间厚、边缘薄的透镜称为凸透镜，凸透镜分为双凸透镜、平凸透镜和正弯月透镜 3 种。

中间薄、边缘厚的透镜称为凹透镜，凹透镜分为双凹透镜、平凹透镜和负弯月透镜 3 种。

透镜对光的作用

凸透镜对光有会聚作用，所以又叫会聚透镜。

凹透镜对光有发散作用，所以又叫发散透镜。

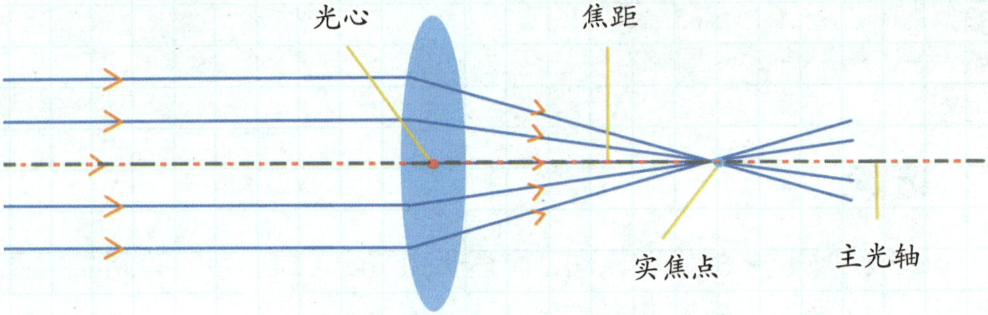

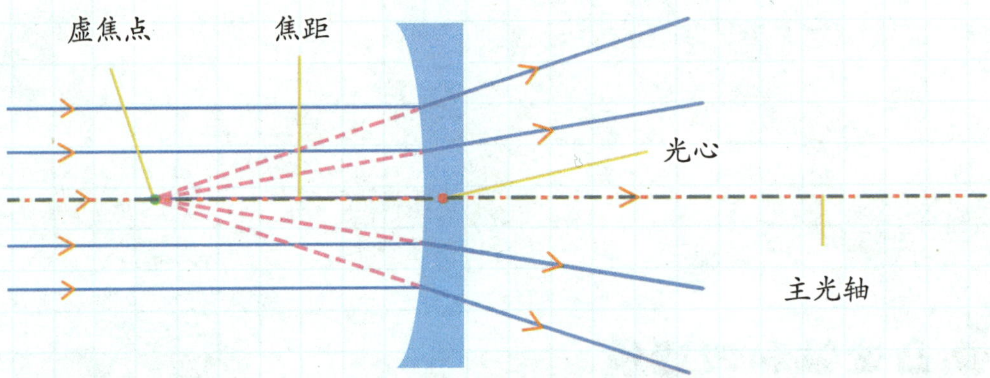

光心：透镜中心的点叫光心（图中红色的点）。

主光轴：通过透镜两个球面的球心的直线叫主光轴，也称主轴（图中黑色的点画线）。

实焦点：平行于主光轴的光线通过凸透镜折射后相交于一点，这个点叫凸透镜的实焦点（图中蓝色的点）。

虚焦点：平行于主光轴的平行光线，通过凹透镜后会发散，发散光线的反向延长线相交于一点，这个点叫凹透镜的虚焦点（图中绿色的点）。

焦距：焦点到光心的距离叫焦距（图中紫色的线段）。

凸透镜的三条特殊光线

（1）平行于主光轴的光线，经凸透镜折射后通过实焦点（图中绿色的光线）。

（2）通过光心的光线传播方向不变（图中红色的光线）。

（3）通过凸透镜实焦点的光线，经凸透镜折射后平行于主光轴（图中蓝色的光线）。

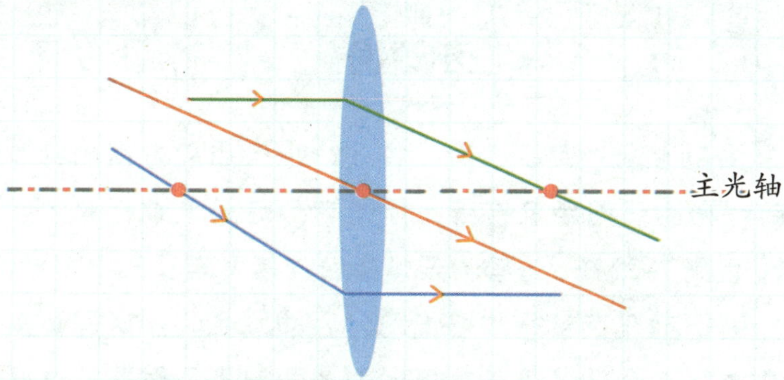

凹透镜的三条特殊光线

（1）平行于主光轴的光线，经凹透镜折射后发散，发散光线的反向延长线通过虚焦点（图中绿色的光线）。

（2）通过光心的光线传播方向不变（图中红色的光线）。

（3）延长线通过凹透镜虚焦点的光线，经凹透镜折射后平行于主光轴射出（图中蓝色的光线）。

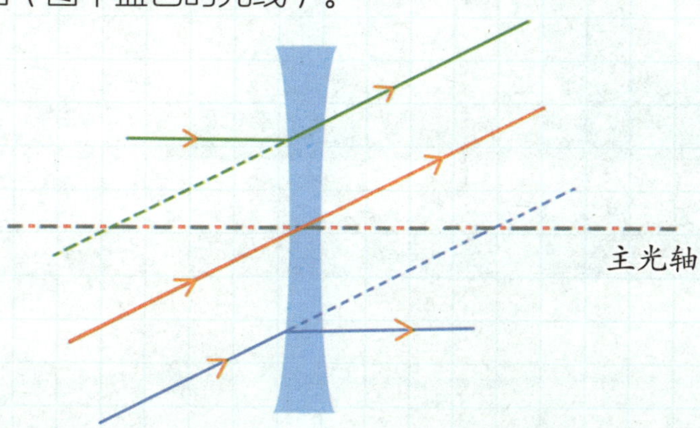

镜头与透镜

镜头是由几片透镜组成的，透镜有塑胶透镜和玻璃透镜两种，玻璃透镜比塑胶透镜贵。一个品质好的摄像头应该采用玻璃镜头，其成像效果要比塑胶镜头好。镜头对成像质量也有极大影响，好的镜头能使图像更加清晰、细腻。

菲涅尔透镜

灯塔是位于海岸、港口或河道等处，指引船只方向的标志性建筑。以前灯光的照射距离有限，最明亮的灯塔光束也只能照射 12~20 千米。直到 1822 年，法国物理学家菲涅尔发明了菲涅尔透镜。

因为光的折射只在空气和透镜的分界面发生，所以尽可能多地去掉透镜内部，而只保留发生折射的曲面部分，然后将这些曲面部分平移到一个平面上，构成菲涅尔透镜。菲涅尔透镜的一侧是平面，另一侧用一系列同心圆槽代替了传统透镜的曲面。

1823 年，第一个菲涅尔透镜被用在吉伦特海口的科尔杜昂灯塔上，菲涅尔透镜发出的光可以一直照射到 32 千米以外。如今，不光是灯塔，生活中常见的交通信号灯也使用了菲涅尔透镜。

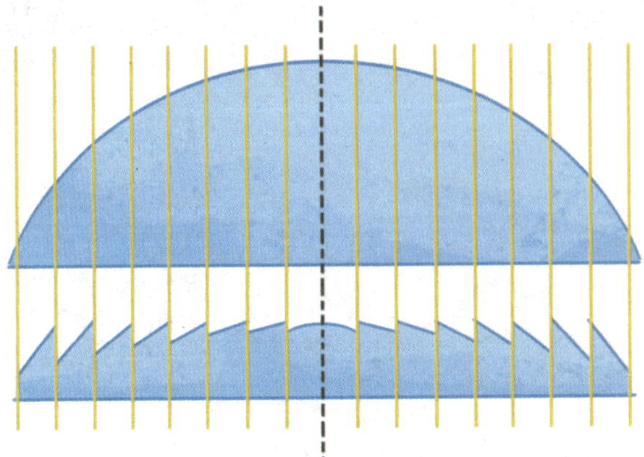

凸透镜是如何成像的

我们在生活中观察发现，照相机、投影仪、放大镜都有一个类似于凸透镜的镜头，但它们的成像效果却有很大的差别。这是为什么呢？

凸透镜成像的规律

我们可以把一支点燃的蜡烛作为发光物体，从较远的地方逐渐移近凸透镜，观察烛焰在屏上成像的情况。

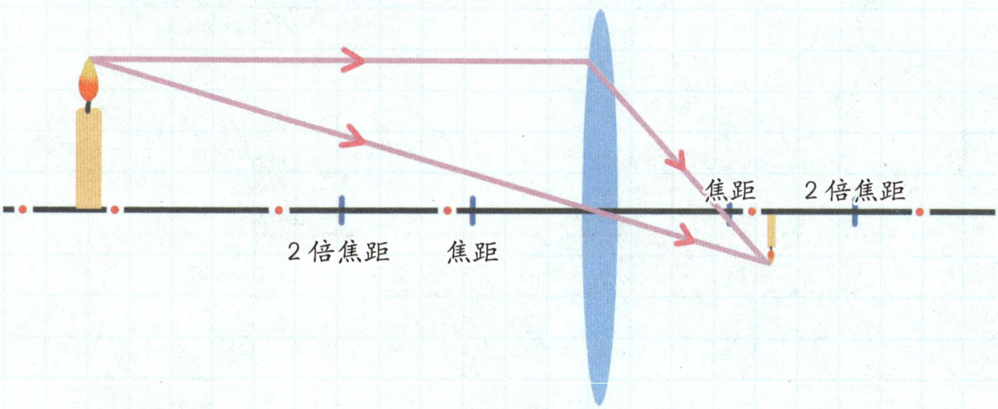

当物距大于 2 倍焦距时，在凸透镜的另一侧成倒立、缩小的实像。

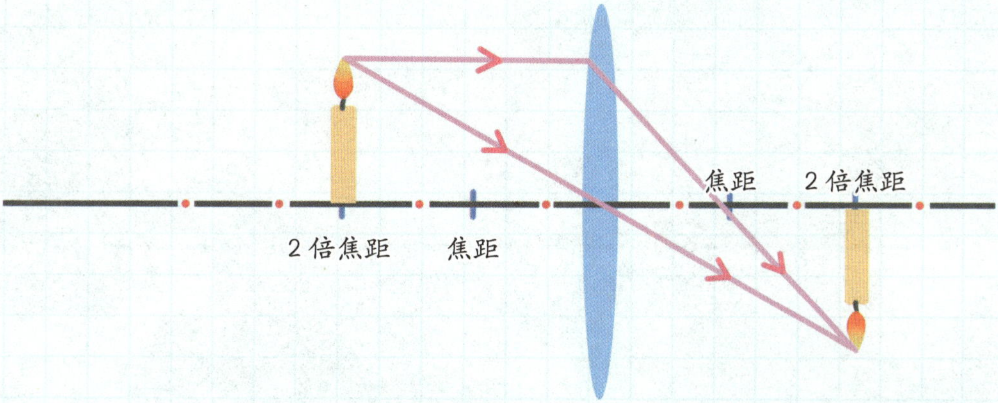

当物距等于 2 倍焦距时，在凸透镜的另一侧成倒立、等大的实像。

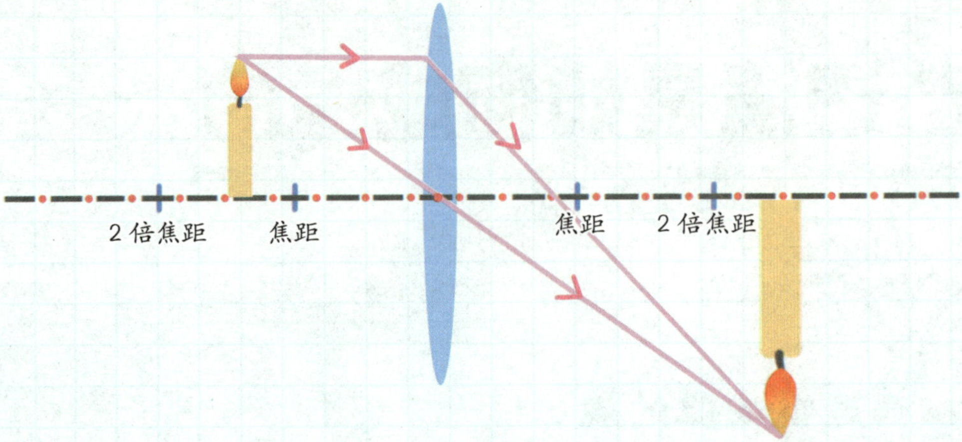

当物距小于 2 倍焦距但大于焦距时，在凸透镜的另一侧成倒立、放大的实像。

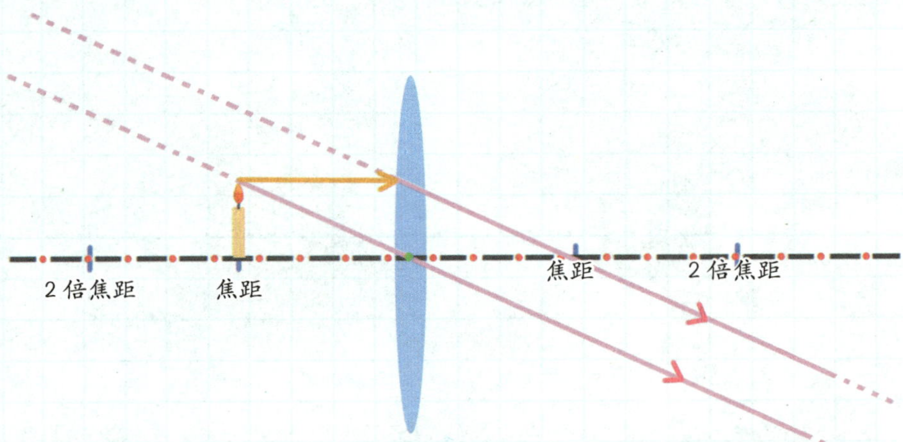

当物距等于焦距时，不能成像。

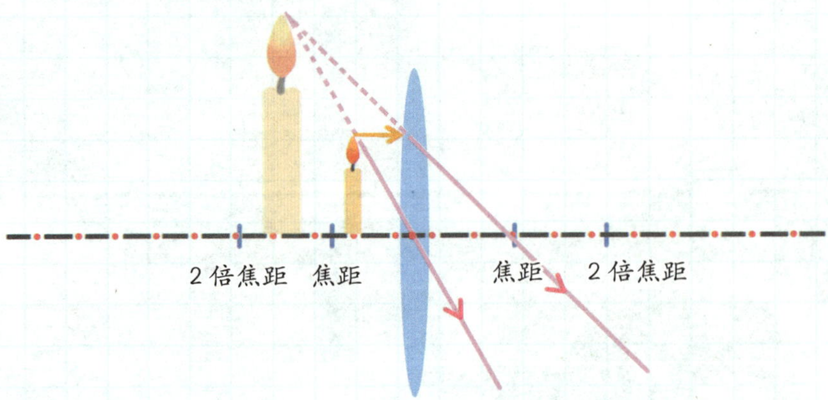

当物距小于焦距时，在凸透镜的同侧成正立、放大的虚像。

近视眼是怎样形成的

眼睛是心灵的窗户，你知道眼睛是如何看到物体的吗？有些人是近视眼，有些人是远视眼，近视眼和远视眼是怎样形成的呢？又该如何矫正呢？

眼睛

晶状体和角膜的共同作用相当于一个凸透镜，把来自物体的光会聚在视网膜上，形成倒立、缩小的实像。视网膜上的感光细胞受到光的刺激产生信号，视神经把这个信号传输给大脑，大脑会对这些信号进行处理和翻转，我们就看到了正立的物体。

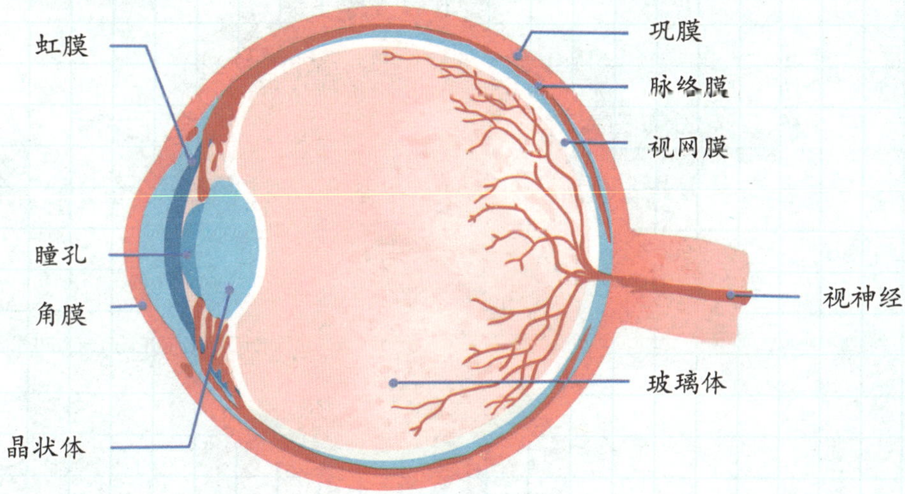

眼睛的自动调节

眼睛通过睫状肌来改变晶状体的形状。

当睫状肌放松时，晶状体比较薄，远处物体射来的光刚好会聚在视网膜上，眼睛可以看清远处的物体。

当睫状肌收缩时，晶状体变厚，对光的折射能力变强，近处物体反射来的光会聚在视网膜上，眼睛就可以看清近处的物体。

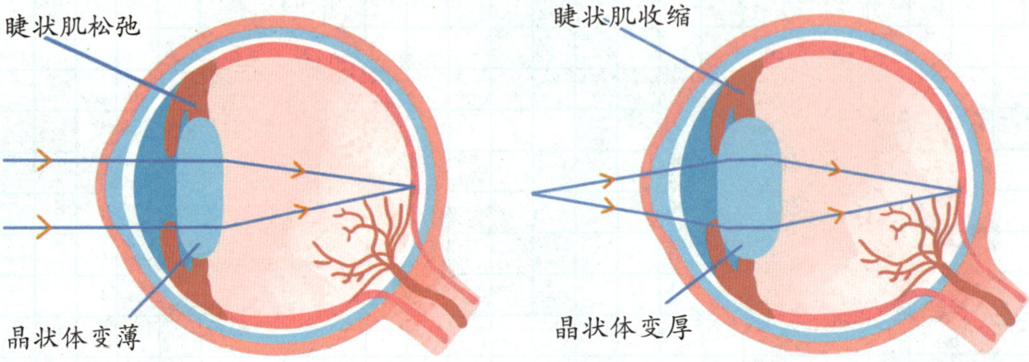

近视眼和近视眼镜

近视眼只能看清近处的物体，看不清远处的物体。

形成近视眼的原因是晶状体太厚，对光的折射能力过强，或者眼球在前后方向上太长，因此来自远处某点的光会聚在视网膜前，到达视网膜时已经不是一个点，而是一个模糊的光斑了。

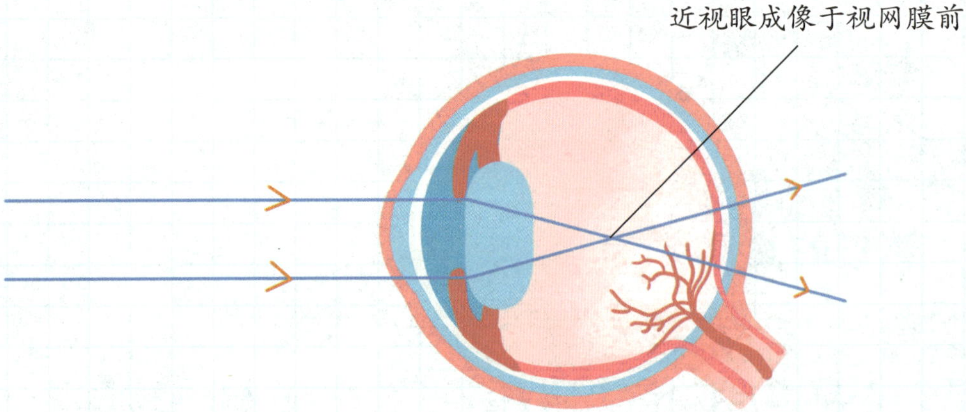

利用凹透镜能使光发散的特点，在眼睛前面放一个合适的凹透镜，就能使来自远处物体的光在视网膜上成像。

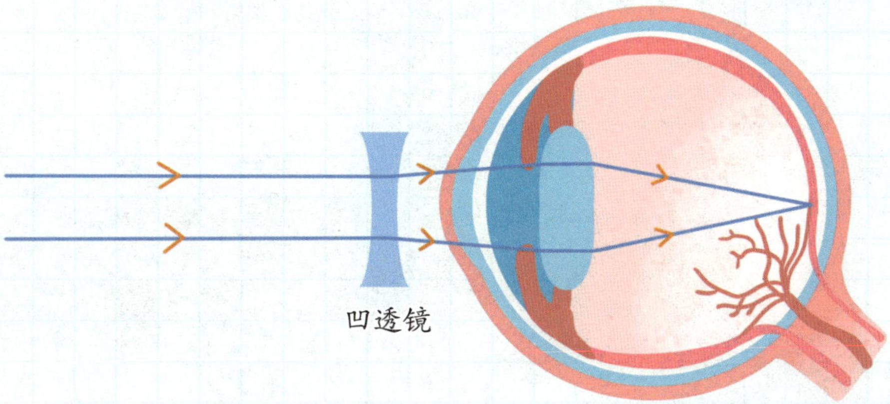

远视眼和远视眼镜

远视眼的成因是晶状体太薄，来自远处的光到达视网膜时还没有会聚成一点，只是形成一个模糊的光斑。看近处物体时，远视眼需要将睫状肌收缩得更厉害，因此容易产生视疲劳。远视眼患者看近处和看远处都可能看不清。

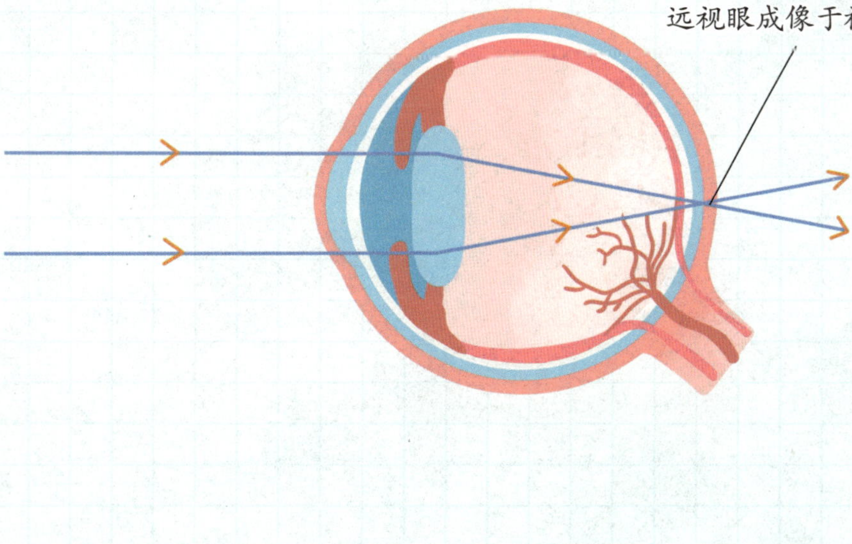

凸透镜能使光会聚，在眼睛前面放一个合适的凸透镜，就能使来自近处物体的光会聚在视网膜上。

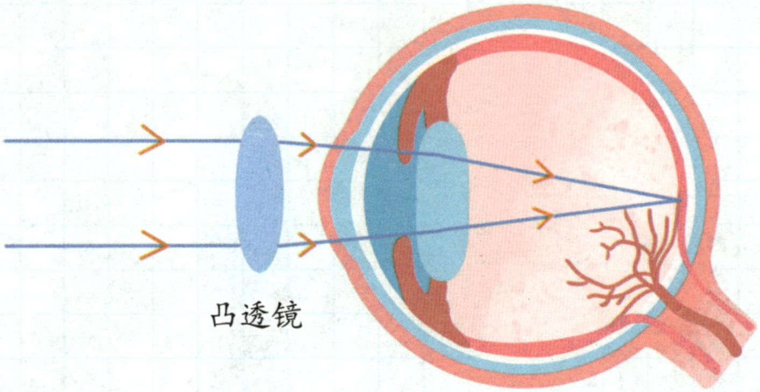

隐形眼镜

除了框架眼镜，还有一种比较隐蔽的隐形眼镜。框架眼镜是把透镜戴在眼睛前面，而隐形眼镜是把透镜制成薄片，直接覆盖在角膜上，所以隐形眼镜也叫角膜接触镜。

隐形眼镜的原理其实和框架眼镜是一样的，通过透镜对光的折射，使物体清晰地呈现在视网膜上。在外观和方便性上，隐形眼镜具有一定的优势，但一定要正确佩戴。

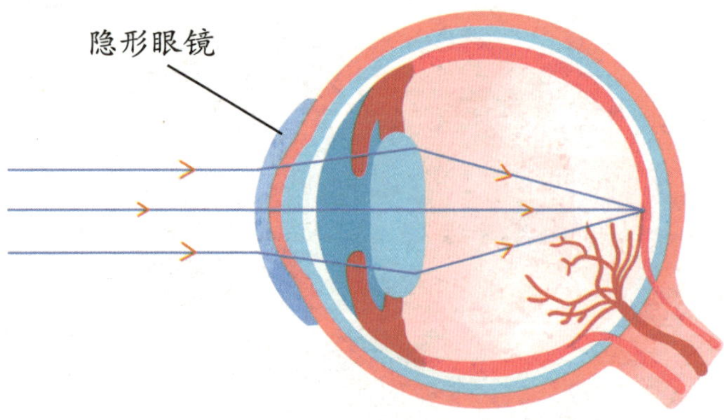

凸透镜成像的应用有哪些

我们用望远镜观察遥远的星星，用显微镜观察微观世界，用照相机拍照留念……这些光学仪器都与透镜有关，你知道它们的原理吗？

放大镜

放大镜是一个凸透镜，根据凸透镜成像的规律，当放大镜和物体之间的距离小于焦距时，我们就可以看到一个正立、放大的虚像。

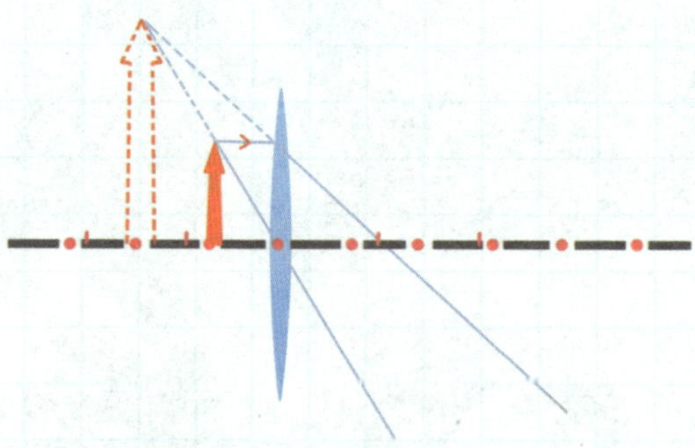

照相机

照相机的镜头组相当于一个凸透镜，根据凸透镜成像的规律，当照相机的镜头和景物的距离大于 2 倍焦距时，就会在感光元件上成一个倒立、缩小的实像。

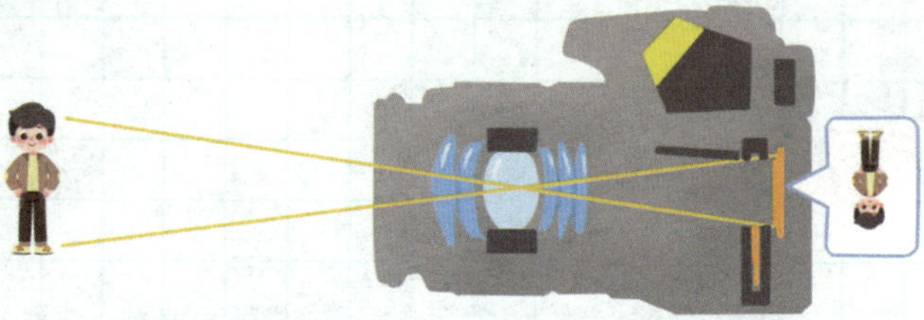

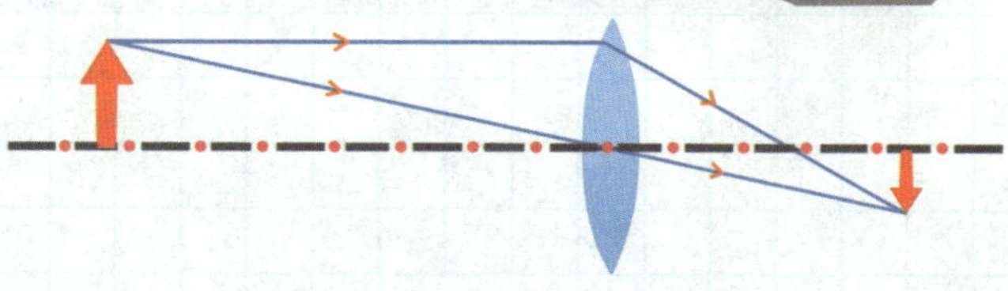

望远镜

望远镜由两组凸透镜组成。由于天体非常遥远，所以第一组凸透镜的作用是让远处的天体在近处成倒立、缩小的实像，称为物镜，相当于照相机的镜头；第二组凸透镜是用来观察这个实像的，称为目镜，相当于一个放大镜，把像放大。

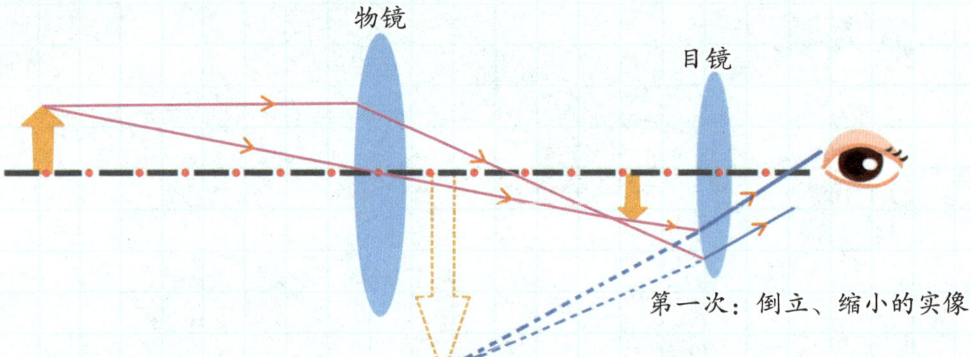

显微镜

显微镜可以观察动植物细胞等非常微小的物体，镜筒的两端各有一组凸透镜。靠近眼睛的凸透镜称为目镜，靠近载物台的凸透镜称为物镜。

根据凸透镜成像的规律，当物体距离物镜大于焦距但小于 2 倍焦距时，成倒立、放大的实像，目镜的作用是再次将这个像放大，相当于一个放大镜。动植物细胞等非常微小的物体，经过两次放大后就可以被清楚地看见了。

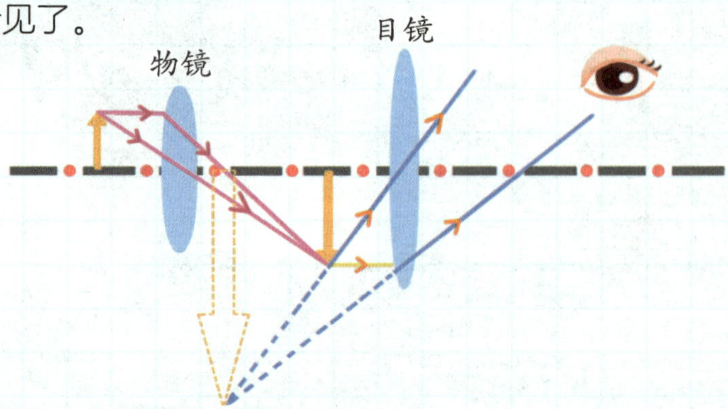

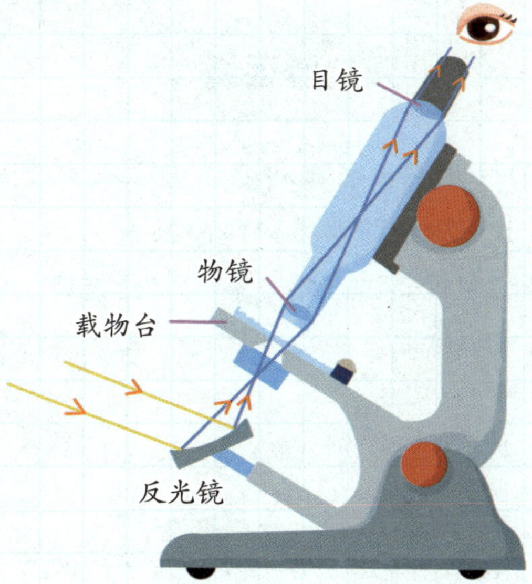

投影仪

教室、会议室经常使用的投影仪，是将光照射到被投影的物体上，再通过一个凸透镜的镜头进行放大。根据凸透镜成像的规律，被投影的物体距离镜头大于焦距但小于 2 倍焦距，所以成放大、倒立的实像。

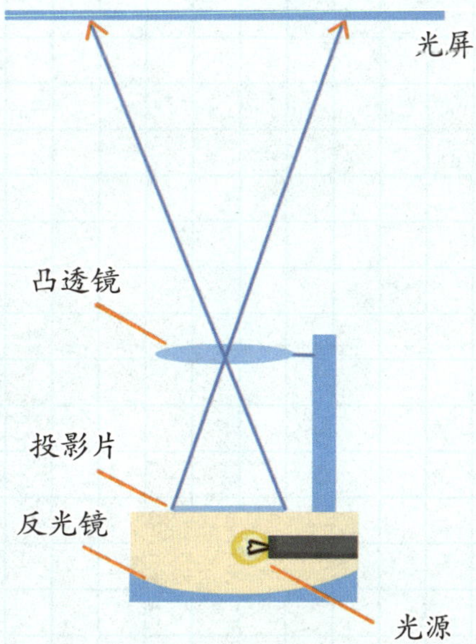

天文望远镜

1609 年，意大利物理学家伽利略改进了天文望远镜，并观察到了月球上的环形山、木星的卫星和太阳黑子。

伽利略望远镜的目镜是凹透镜，物镜是凸透镜。远处射来的光线，经过物镜形成一个倒立、缩小的实像，再经过目镜形成放大、正立的虚像。

还有一种开普勒望远镜，它的目镜和物镜都是凸透镜。远处射来的光线，经过物镜后，先形成一个倒立、缩小的实像，这个实像位于目镜的焦距内，目镜再将这个实像放大，形成放大、倒立的虚像。

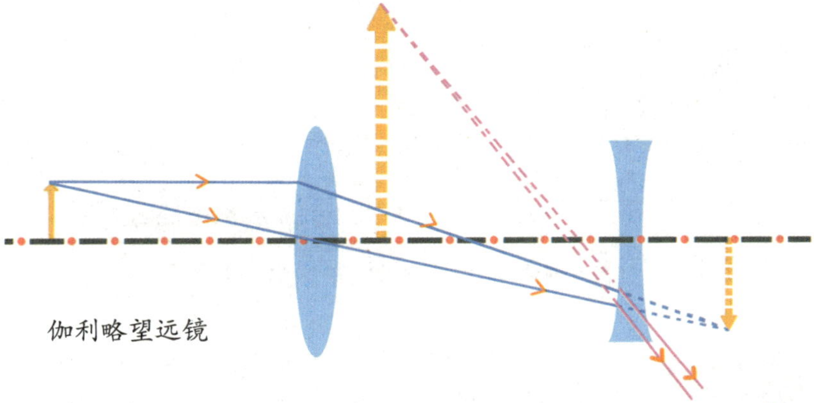
伽利略望远镜

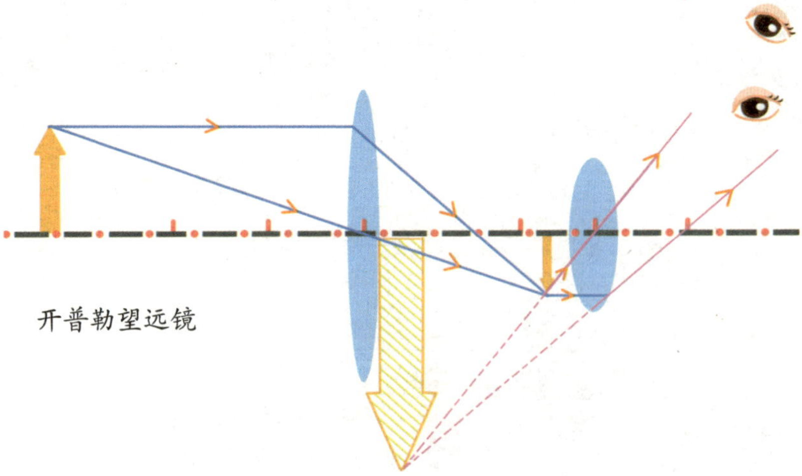
开普勒望远镜

小实验：制作彩色的影子

实验器材

红、蓝、绿三种颜色的透明塑料片（或玻璃纸），三个手电筒，一个白色光屏（也可用白纸或白墙替代），一支钢笔（或其他小巧的不透光物体）。

实验步骤

1 制作多彩光源：将三个手电筒蒙上红、蓝、绿三种颜色的透明塑料片。

2 搭建闪耀舞台：将套好塑料片的手电筒的光照射在白色光屏上，使光斑重合。

3 见证多彩的奇迹：在光斑重合处放上钢笔，此时你会惊讶地发现钢笔的影子不再是印象中黑漆漆的样子，而是漂亮的彩色。

解析

红、绿、蓝是光的三原色，这三种单色光混合起来就是常见的白光了。而彩色的影子，每一道都是遮挡了其中一种单色光，由另外两种单色光混合形成的，所以影子的颜色不是红、绿、蓝，而是绿光和蓝光混合成的青色、红光和蓝光混合成的洋红色、红光和绿光混合成的黄色。而三棱镜将白光变成彩虹利用的是光的色散，将混合光分解为单色光，是与光的混合互为逆向的过程。

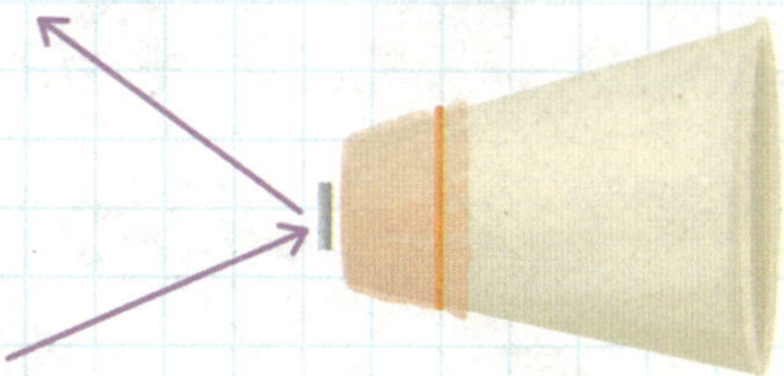

环境光会干扰影子色彩，让其变淡。如果想让彩色影子更明显，可以选择黑暗环境进行实验。

将塑料片换成其他颜色，影子的颜色会不会发生改变呢？

第三章

感受世界的冷热

“忽如一夜春风来，千树万树梨花开”描写了壮丽的雪后景象。“冰冻三尺，非一日之寒”描写了奇寒的结冰景象。寒冷的下雪天，房檐垂下长长的冰锥，温度计显示气温在零摄氏度以下，人们说话时冒着白气，用力搓手或向手心哈气来取暖，烧开水的水壶冒出大量热气……这些现象都与热有关，让我们一起来感受世界的温度。

如何描述冷热程度

夏天的时候人们感觉热，冬天时又感到冷。有多热、有多冷，我们习惯说今天的温度是多少。什么是温度呢？怎样判断温度的高低呢？

温度

热的物体温度高，冷的物体温度低。简单来说，温度就是物体的冷热程度。

温标

只凭感觉判断温度并不可靠，要想准确地测量温度的高低，还必须建立温标。

温标就是用具体的数表示温度的一个标准尺度，比如常用的华氏温标、摄氏温标等。

华氏温标

1724 年，华伦海特创立了华氏温标。最早，他把水、冰和氯化铵混合物的温度定为 0 华氏度，把他妻子的体温设为 96 华氏度。后来为了严谨，他把纯水的冰点定为 32 华氏度，把标准大气压下水的沸点定为 212 华氏度，中间分为 180 等份，每一等份代表 1 华氏度，这就是华氏温标。华氏度用“℉”表示。

摄氏温标

1742 年，摄尔修斯在总结前人经验的基础上，以水银为测温物质，以水银热胀冷缩为测温属性，制成了水银温度计。

他把温度计插入正在融化的冰水混合物中，将冰点作为一个标准温度点；又把温度计插入在标准大气压下沸腾的水中，将沸点作为另一个标准温度点。然后他将冰点和沸点之间的温度值分成 100 等份，规定每一份为 1 摄氏度，这就是摄氏温标。摄氏度用“℃”表示。

为了避免测量低温时出现负值，摄尔修斯把水的沸点定为 0 摄氏度，而冰点定为 100 摄氏度。直到 1750 年，摄尔修斯的同事施勒默尔把摄尔修斯的标度方式倒转了过来，以冰点为 0 摄氏度，沸点为 100 摄氏度，这种摄氏温标的标度方式一直延续至今。

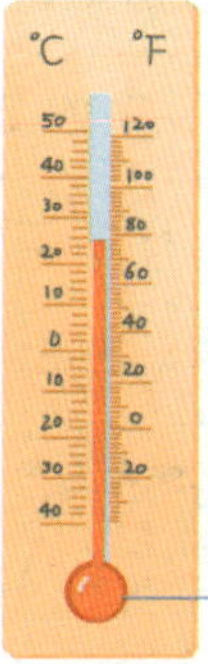

热力学温标

1848 年，英国物理学家威廉·汤姆逊（后来被封为开尔文勋爵，所以后世称其为开尔文）提出以绝对零度为零点，再以水、冰、水蒸气共存的温度为固定的标准点，把绝对零度到标准点分成 273.16 等份，每一份就是 1 开尔文，这就是热力学温标。热力学温度用开尔文（K）表示。

热力学温标又称“开尔文温标”“绝对温标”，是与测温物质的特性无关的一种理想标准。

国际温标

热力学温标是一种理想温标。用气体温度计来实现热力学温标，设备复杂，价格昂贵。为了实用且方便，国际上经协商，决定建立国际实用温标。

自1927年第七届国际计量大会建立国际温标（ITS—27）以来，为了更好地符合热力学温标，国际温标大约每隔20年进行一次重大修改。国际温标进行重大修改的原因，主要是温标的基本内容（即所谓温标“三要素”）发生了变化。1988年国际计量委员会推荐，第18届国际计量大会及第77届国际计量委员会作出决议，从1990年1月1日开始，各国开始采用1990年国际温标（ITS—90）。我国从1994年1月1日起全面实行国际新温标。

国际温标同时使用开尔文温度和摄氏温度。

1990年国际温标（ITS—90）是通过定义固定点的温度指定值，并使用在这些固定点上分度的标准仪器来实现热力学温标的。各固定点间的温度依据内插公式将标准仪器的示值与国际温标的温度值相联系。各国根据国际实用温标的规定，相应地建立了自己国家的温标。

华伦海特与华氏温标

在温度计的发明史上，有一个不可忽略的名字，那就是丹尼尔·加布里埃尔·华伦海特。

在华伦海特之前，温度计的刻度各不相同，在实际应用时很不方便。为此，华伦海特创立了第一个被广泛使用的统一的温标，这与改进温度计相比，贡献更大。华伦海特还发明了净化水银的方法，他制作的改良版水银温度计能精确测量并便于读数，也被称为“华氏温度计”。

1724年，以华伦海特的名字命名的“华氏温标”正式确立，同年他被选为英国皇家学会会员。时至今日，美国等国家仍然在日常生活中使用华氏温标。

如何测量温度

体温计是很多家庭必备的工具。体温计有哪些种类呢？生活中的温度计又有哪几种？

水银体温计

水银体温计根据水银热胀冷缩的规律制成，刻度范围通常为 35 ～ 42 摄氏度。测体温时，玻璃泡内的水银受热膨胀，通过曲颈上升到某一刻度。

离开人体后，水银变冷收缩，曲颈内的水银断开，使得管内的水银不能流回玻璃泡内，方便人们读数。这时可以用力向下甩体温计，把水银甩下去（其他温度计不允许甩）。

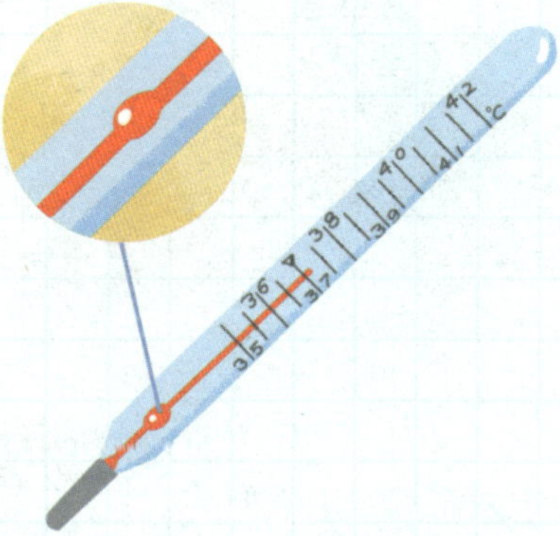

电子体温计

电子体温计利用某些物质的物理参数，如电阻、电压等与环境温度之间的确定关系，将体温以数字形式直接显示。

电子体温计准确度高、安全性高、测量时间短。

耳温计

人的鼓膜邻近下丘脑，下丘脑是脑部体温中枢，不断向外辐射红外线。耳温计就是通过在耳部检测鼓膜发出的红外线，显示出人体的温度。耳温计在 1 ~ 2 秒内就能得出测量结果。

额温计

额温计通过检测人体额头辐射的红外线来测量温度。这是一种非接触式测量仪器，适合家庭以及公共场所使用，可避免交叉感染，快速筛查，同时避免人群聚集。

水俣（yǔ）公约

水俣是日本的一座城市，20 世纪 30 年代，日本水俣市的一家工厂将工业废水排入水俣湾，当地居民在食用了从海湾打捞上来的鱼类和贝类后，陆续出现惊厥、精神紊乱、意识丧失和昏迷等症状，最终成千上万的人被确诊为汞中毒。

《关于汞的水俣公约》是世界上首个就高毒性金属汞签署的具有法律约束力的公约，能够对汞这类金属的使用、生产以及处理实行综合性的监控。《关于汞的水俣公约》自 2017 年 8 月 16 日起对我国生效，我国自 2026 年 1 月 1 日起，禁止生产含汞体温计和含汞血压计。所以，水银温度计将从 2026 年起告别我国市场。

什么是物态变化

炎热的天气，放进杯中的冰块很快就变成了水，最后变成了看不见的水蒸气。冰、水、水蒸气呈现了同一物质的三种状态，它们各自有什么特点呢？

物态变化

自然界中物质的存在状态主要有三种：固态、液态和气态。物质在各种状态之间的变化叫物态变化。

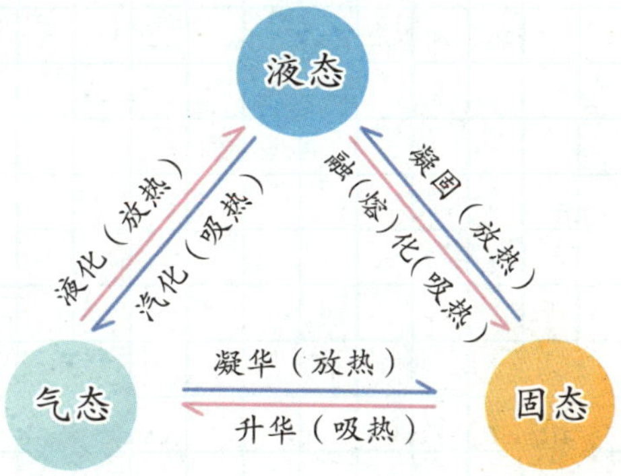

固体的分类

固体可分为晶体和非晶体两大类，晶体又分为单晶体和多晶体。

（1）晶体和非晶体

晶体具有规则的形状，这是因为在各种晶体中，原子都是按照一定规则排列的，具有空间上的周期性。像石英、食盐、蔗糖、味精、雪花等都是晶体。

非晶体没有确定的几何形状。像玻璃、蜂蜡、沥青、橡胶等都是非晶体。

雪花是晶体

玻璃是非晶体

在一定条件下，有些非晶体可以转化为晶体，有些晶体也可以转化为非晶体。

有的物质在不同条件下能够生成结构不同的晶体，也可能以晶体和非晶体两种不同的形态存在。

（2）单晶体和多晶体

具有规则几何形状的晶体称为单晶体，如石英、明矾等。

多晶体是由许多单晶体（被称作“晶粒”）杂乱无章地组合而成的，所以多晶体没有确定的几何形状，如金属、岩石等。

液体

液体和固体一样，具有一定的体积，不容易被压缩，但又不像固体那样具有一定的形状，液体能够流动。

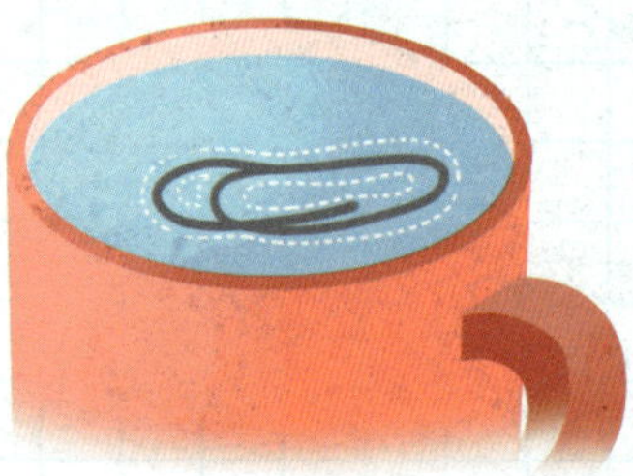

气体

气体是指无固定形状、无固定体积的可压缩和膨胀的流体。气体与液体一样是流体，它可以流动，可以变形。与液体不同的是，气体分子间距离很大，可以被压缩和膨胀。

一般工业气体：是一类在工业生产中广泛使用的气体资源，它们在工业过程中扮演着重要的角色，包括但不限于切割、焊接、化工、石油、冶金、电子、医疗等领域。

特种气体：指那些在特定领域中应用的，对气体有特殊要求的纯气、高纯气或由高纯单质气体配制的二元或多元混合气。

标准气体：标准气体属于标准物质，是一种高度均匀、稳定性良好且量值准确的测量标准。

液晶

从最初的电子手表到如今的笔记本电脑、液晶电视……液晶一步步深入我们的生活。液晶到底是什么物质状态？为什么“液体”和“晶体”联系在了一起？

1888 年，奥地利植物学家赖尼策尔做实验时发现，他加热的化合物熔化后先变成了白色的浑浊液体，继续加热则呈现某些颜色，最后变成透明液体。1888 年 3 月 14 日，赖尼策尔将样品寄给德国物理学家雷曼。雷曼经过系统研究，发现许多有机化合物都具有同样的性质，这些化合物像液体一样具有流动性，而且光学性质与某些晶体相似，于是他把这些化合物命名为液晶。

1964 年，美国无线电公司发现了液晶的多种光学效应，由此开始了液晶在显示器方面的应用。这也是当前液晶最主要的应用方向。

固体是如何变成液体的

俗话说：“真金不怕火炼。”但是在 1064.43 摄氏度的高温下，黄金也会化成“金水”。夏天，人们往饮料中加几个冰块，固态的冰块最后变成液态的水，饮料却变得冰凉。这是为什么呢？

熔化（融化）

物质从固态变成液态的过程叫作熔化（融化）。

蜡烛流出“烛泪”

冰块融化为水

冰的融化实验

将装有适量冰块的试管置于盛有水的烧杯中，用酒精灯进行加热（环境温度较高时可不加热），维持烧杯中水的温度在 20 摄氏度左右（温度计 1 的示数）。观察冰块的变化情况，并每隔 1 分钟记录 1 次温度（温度计 2 的示数），在冰块完全融化后再记录几次。

我们可以用图像来表示冰融化时温度随时间变化的情况。

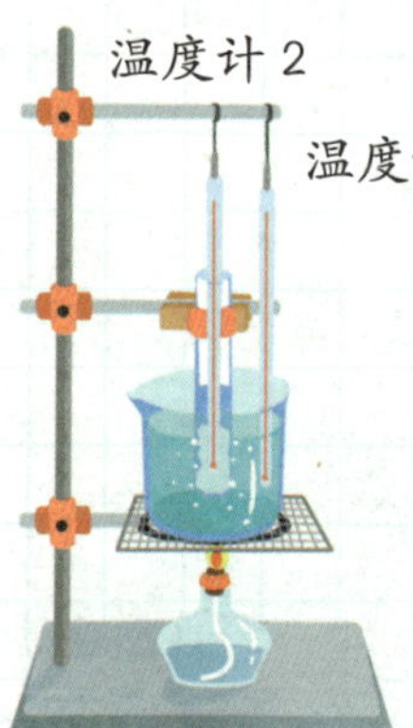

实验装置

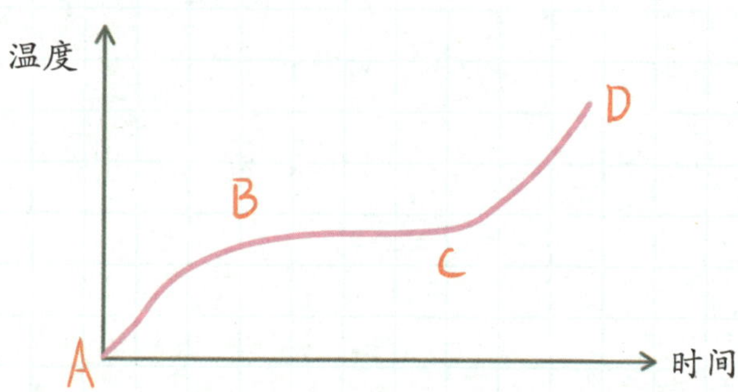

冰融化时温度随时间变化的情况

冰融化的特点

BC 段，在冰融化过程中继续加热，尽管不断吸热，温度却保持不变，此时固液共存。CD 段，冰完全融化成液体后，温度继续上升，此时处于液态。

可见，晶体在熔化过程中吸热，但是温度不变。

熔点

AB 段，冰吸热，温度逐渐升高，此时冰仍处于固态。B 点，当温度达到 0 摄氏度时，冰开始融化。

晶体开始熔化时的温度叫熔点。熔点是晶体的特性之一，不同的晶体熔点不同。

晶体的熔点（在 1 个标准大气压下）　　单位：摄氏度

物质	熔点	物质	熔点	物质	熔点
金刚石	3550	金	1064	冰	0
钨	3410	银	962	固态水银	-39
纯铁	1535	铝	660	固态酒精	-117
各种钢	1300~1400	铅	327	固态氮	-210
各种铸铁	1200	锡	232	固态氢	-259

石蜡的熔化实验

用适量的石蜡替换冰块进行实验。待温度升至 40 摄氏度左右时，观察石蜡的变化情况，同样每隔 1 分钟记录 1 次温度，并用图像来表示石蜡熔化时温度随时间变化的情况。

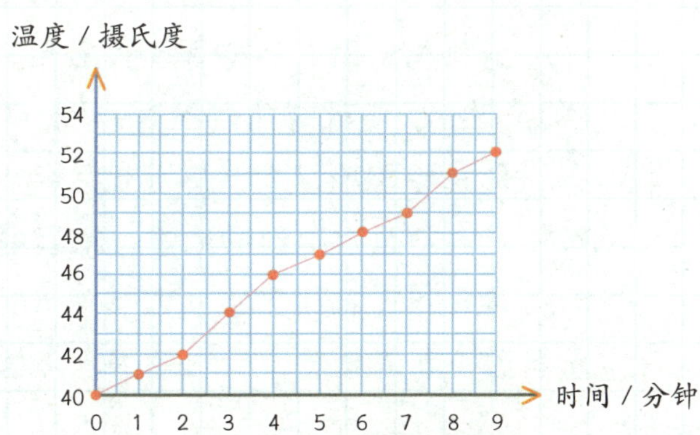

石蜡熔化时温度随时间变化的情况

非晶体熔化的特点

石蜡的熔化过程与冰的熔化过程显然不同。在熔化过程中，石蜡由硬变软，由软变稀，最后熔化为液态。石蜡在熔化过程中，只要不断地加热，温度就会继续上升。

可见，像石蜡这样的非晶体没有固定的熔点。非晶体在熔化过程中吸热，温度持续上升。

熔化吸热

生活中经常见到熔化现象。天气回暖时冰雪融化成水，铺设柏油马路时把块状的沥青熔化成液态，工厂浇铸车间将铜块熔化成铜水，等等。

熔化是一个吸热的过程，生活中也经常用到熔化吸热。长途运输海鲜时会放些冰块，这也是利用冰块融化吸热来降低鱼箱内的温度，从而使海鲜不容易变质；洗涤沾满油脂的盘子时用热水效果较好，这是由于水温超过了油脂的熔点，从而使油污熔化流走。

熔化、融化、溶化的区别

熔化指金属、石蜡等固体吸热变成液体的过程。例如，铁加热到 1535 摄氏度就熔化成铁水，块状的沥青加热后熔化成液体，等等。

融化特指冰、雪、霜吸热后化成水。例如，初春河里的冰开始融化，太阳照射不到的地方，积雪融化得很慢。

溶化指固体溶解在水或其他液体里，形成溶液。例如，盐放进水里很快就溶化了，颜料放进水杯里一会儿就溶化了，等等。

液体是如何变成固体的

波光粼粼的湖水，到了寒冷的冬天就会结成厚厚的冰。这是为什么呢？

凝固

物质从液态变成固态的过程叫凝固。

凝固点

液体凝固形成晶体时的温度称为凝固点。同一种物质的凝固点和熔点相同。

若液体凝固形成的是非晶体，则没有确定的温度作为凝固点。

凝固时的温度变化

我们还用图像来表示凝固过程中温度随时间变化的情况。

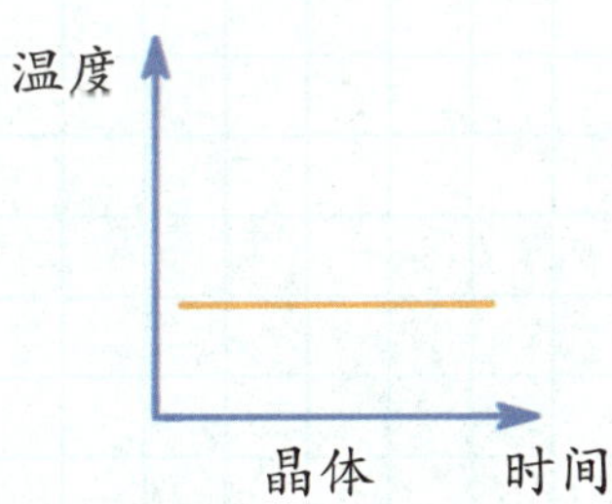

晶体

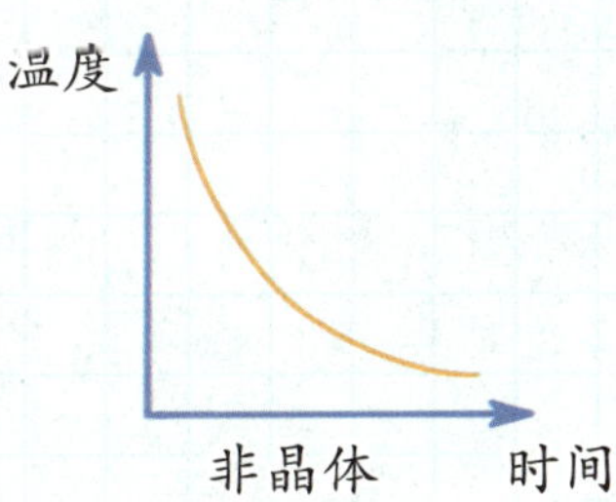

非晶体

可见，液体在凝固成晶体的过程中放热，但是温度不变。液体在凝固成非晶体的过程中，随着不断地放热，温度也不断地降低。

凝固放热

池塘的水结冰，动物油在常温下凝固，熔化的糖、巧克力在低温时凝固，饮料放进冰箱冻成冰等，这些都是生活中常见的凝固现象。

凝固是一个放热的过程，生活中也有对凝固放热加以利用的实例。在北方的冬天，为了防止菜被冻坏，人们通常会在菜窖里放几桶水，这就是利用水凝固成冰时放热的原理，使窖内的温度不会太低。同样，也有一些不利的现象发生，比如炼钢厂的钢水冷却变成钢时，车间人员极易中暑，这是因为钢水凝固会放出大量的热。

氦在绝对零度下也不会凝固

大部分物质都和水一样，随着温度的降低会凝固成固体。但即使把温度降低至接近绝对零度，常压下的氦也不能凝固成固体，只能保持液态。

简单来说，氦之所以不凝固，可以归于两个原因：一是氦原子之间的吸引力十分微弱，很难维持固体形态；二是氦原子质量轻，在接近绝对零度时，量子效应引发的零点振动会破坏有序的固态结构。

液体是如何变成气体的

生活中我们会发现，洒在地上的水过一会儿就不见了，晾在太阳下的湿衣服不久后就干了。地上和衣服上的水到哪里去了呢？

汽化

物质从液态变为气态的过程叫汽化。

水的沸腾实验

用酒精灯给水加热至沸腾。当水温达到 90 摄氏度时，每隔 1 分钟记录 1 次温度。我们同样用图表表示水沸腾时温度与时间的关系。

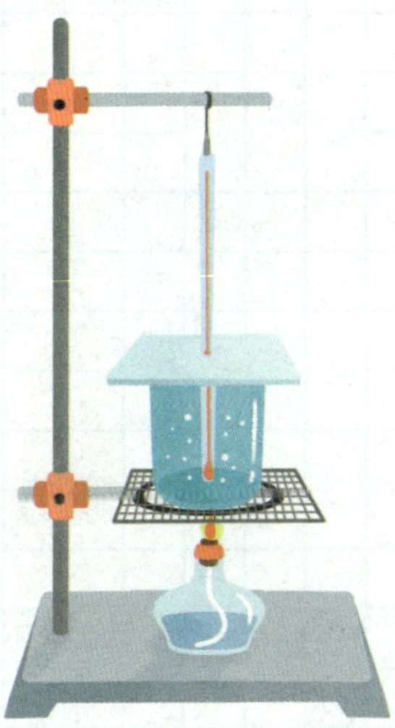

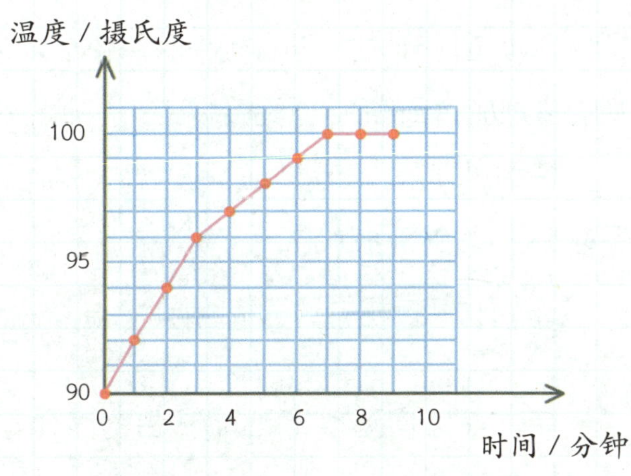

水沸腾时温度随时间变化的情况

实验发现，在标准大气压下，水在 100 摄氏度时沸腾，内部产生大量气泡，气泡不断上浮、变大，到达水面后破裂。气泡是水汽化产生的水蒸气，所以水的沸腾是一种剧烈的汽化现象。

沸腾

像烧开水这样，在特定的温度下，液体表面与内部同时发生的剧烈的汽化现象叫沸腾。

在沸腾的过程中，水的温度保持在沸点不变，但酒精灯要持续加热，说明沸腾是一个吸热的过程。

沸点

各种液体沸腾时都有确定的温度，这个温度叫沸点。不同液体的沸点不同。

气压越高，液体的沸点越高；气压越低，液体的沸点越低。高压锅就是利用了这一原理。

高压锅是利用液体在较高气压下沸点会提升这一特点来蒸煮食物的。将锅体的密封性做得特别好后，水达到较高温度时，水面上的气压也会超过标准大气压，水的沸点也会随之升高，这样就可以将被蒸煮的食物加热到 100 摄氏度以上，从而更快更彻底地蒸煮食物。

特别是在高海拔地区，利用压力锅可以解决因为水的沸点降低而不易煮熟食物的问题。

蒸发

液体在任何温度下都能发生的汽化现象叫蒸发。蒸发只发生在液体的表面。

影响蒸发快慢的因素

液体的温度越高、液体的表面积越大、液体表面的空气流动得越快，液体蒸发得就越快。

沸腾和蒸发的区别

沸腾和蒸发是汽化的两种形式，二者的区别如下。

沸腾和蒸发的区别

异同点		汽化方式	
		蒸发	沸腾
相同点		均是汽化，并且都要吸热	
不同点	发生部位	液体表面	液体表面和内部
	温度条件	在任何温度下	在特定温度下
	剧烈程度	缓慢	剧烈

纸锅烧水

取一张光滑的厚纸，做成一个小纸锅。纸锅里装些水，放到火上加热。注意不要让火苗烧到水面以上的纸。过一会儿，水就会沸腾，而纸锅不会燃烧。纸锅为什么不会燃烧？

这是因为用纸锅烧水的时候，由于热传递，水不断从纸锅上吸收热量，而在标准大气压下，水的沸点是 100 摄氏度，纸的燃点大约是 183 摄氏度。水沸腾时继续吸收热量，但温度保持在其沸点不变，使纸的温度无法达到燃点，纸也就不会被烧着了。

气体是如何变成液体的

寒冷的冬天，身处户外的人口中不断呼出“白气”。戴眼镜的人从寒冷的室外进入温暖的室内，镜片上会蒙上一层“雾”。这是为什么？

液化

物质从气态变为液态的过程叫液化。

烧开水时，烧水壶冒出大量“白气”。这是水汽化成水蒸气后从壶口冒出，由于壶外的温度低，水蒸气再液化成水珠，就是我们看到的“白气”。

液化的两种方式

液化的两种主要方式，一是降低温度，二是压缩体积。

所有气体在温度降到足够低（低于其临界温度）时都可以液化。但压缩体积时，如果气体温度高于其临界温度，则无论如何压缩都无法使其液化。

常见的液化现象

冬天，嘴里呼出“白气”；夏天，冰棍周围冒“白气”，这些都是水蒸气遇冷液化成雾状的小水珠。

冬天，窗户内侧常看见模糊的水汽，这是屋内水蒸气遇到冷玻璃液化成的小水珠。

牙医在为病人检查牙齿时，将检查用的小镜子在酒精灯上稍微烤一下，然后再放入口腔中。这是为了防止口腔内的水蒸气遇冷液化成小水珠附着在镜面上，从而影响观察。

液化石油气

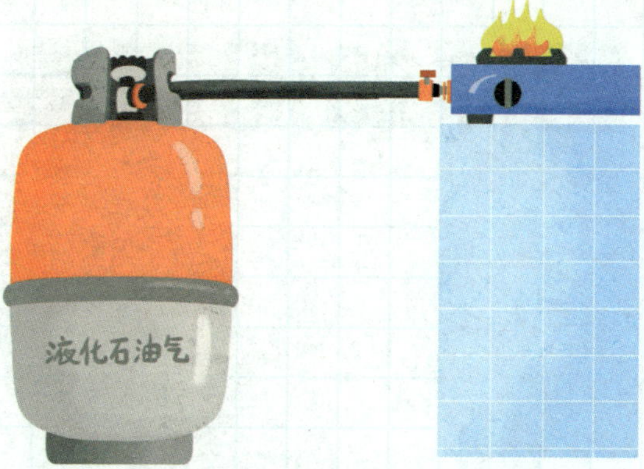

将气体液化的好处是体积缩小，便于储存和运输。利用压缩体积的方法使石油气液化，并储存在钢瓶里，这就是家用液化石油气。

液化天然气

天然气在极低温度下（通常为 -162 摄氏度）可以液化成为液化天然气。液化是一种高效的能源储存和运输方式，广泛应用于天然气工业。通过液化技术，天然气的体积大大减小，便于储存和运输，同时也使得天然气这种清洁能源更容易被利用。

冬天呼出的“白气”

水蒸气是水的气态形式，人眼看不到，我们看见的“白气”是水的液态形式。

冬天人们呼出的“白气”，是呼出气体中的水蒸气遇冷液化形成的。夏天吃雪糕时，雪糕向外冒“白气”。这是夏天空气中的水蒸气遇到温度低的雪糕液化形成的。

打开冰箱门冒出大量的“白气”，这是空气中的水蒸气与冰箱内的冷空气相遇，迅速液化形成的。烧红的金属插入水中会冒出“白气”，这是因为烧红的金属温度很高，插入水中时，水吸热迅速汽化成水蒸气，水蒸气遇到温度较低的空气又立刻液化形成了“白气”。

固体如何直接变成气体

在观看文艺演出时，有时舞台上烟雾缭绕，宛如仙境。你知道这些白雾是怎么形成的吗?

升华

舞台上经常用干冰制造白雾，干冰是二氧化碳气体被加压、降温后形成的白色固体，干冰在常温下不经熔化就会直接变成气体。

像这样，物质从固态直接变成气态的过程叫作升华。

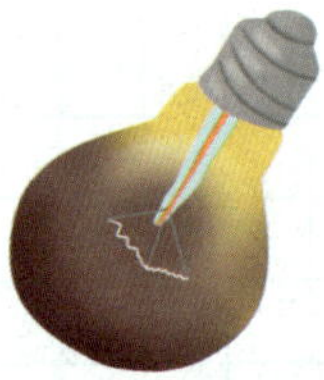

生活中的升华现象

冬天，晾在室外的湿衣服会结冰，但被冻得硬邦邦的衣服仍然能够变干。这是因为冰直接升华为水蒸气了。

白炽灯用的时间长了，灯的钨丝会变细，灯的内壁会发黑。这是因为钨丝升华为钨蒸气了。

放在衣柜里的樟脑丸，时间久了会变小。这是因为樟脑丸升华了。

升华吸热

碘锤(密封的锤形玻璃泡)内装有少量碘颗粒。对碘锤进行水浴加热，碘吸热升华，变成紫红色的碘蒸气充满玻璃泡。

可见，升华吸热。

升华吸热的应用

运输生鲜食品时，可以利用干冰升华来吸收热量，防止食品腐烂变质。

人们从陆地向云层发射干冰或从飞机上向云层撒干冰，从而达到人工降雨的目的。

舞台上利用干冰升华制造白雾。

人工降雨

人工降雨又称人工增雨。人工降雨有三种常用方法：一种是向云层中播撒冷却剂，如用飞机在云层中播撒干冰，干冰升华吸收大量的热，使云层中的小冰晶增多、小水滴增大，从而形成降雨；一种是向高空播撒与小冰晶结构极为相似的碘化银、三氧化二铝等药剂，作为吸附水汽、加速水蒸气液化或凝华的物质，使云层中的冰晶增多、小水滴增大，从而形成降雨；还有一种方法是，用飞机在适当的云层中直接喷洒直径约为 0.05 毫米的小水滴，使云层中的小水滴相互合并变大，从而形成降雨。

我国最早的人工降雨试验出现在 1958 年，这一年的夏季，吉林省遭受了 60 年一遇的大旱，人工降雨获得了成功。

气体如何直接变成固体

白炽灯用久了，灯的钨丝变细，这是因为钨丝升华为钨蒸气了。而灯的内壁会变黑，这又是为什么呢?

凝华

在碘升华实验中，将碘锤从水中取出，紫红色的碘蒸气会消失，碘锤内出现碘颗粒。这是因为碘蒸气直接变成了固态碘。

像这样，物质从气态直接变成固态的过程叫作凝华。

生活中的凝华现象

白炽灯用久了，灯泡壁会变黑。这是因为钨蒸气在灯壁上凝华成了极薄的一层固态钨。

冬季，窗户玻璃朝室内的一面会结冰花。这是因为窗户玻璃朝室外一面的温度比室内低，室内空气中的水蒸气靠近玻璃时，就会凝华成冰花。

夏天，从冰柜中刚拿出来的冰棒，很快会结成一层冰霜。这是空气中的水蒸气凝华形成的。冰柜内壁的霜是水蒸气凝华成的小冰晶。

自然界中，雪、霜、雾凇的形成都是凝华现象。

凝华放热

在碘变成紫红色的碘蒸气后，我们停止加热，烧杯壁和玻璃盖片上出现了紫色的碘颗粒，没有液态的碘出现，说明碘蒸气遇冷后可直接变为固态的碘。盖片上的水在碘蒸气凝华时冒“热气”，盖片有些变热，说明碘的凝华过程会放热。

凝华的应用

材料表面处理：将某种固态材料加热升华成气态原子或分子，然后让这些气态原子或分子在另一种材料（基底）表面降温凝华，形成一层薄膜，这层膜可以提高材料的硬度、耐磨性和美观度。

下雪不冷化雪冷

俗话说“下雪不冷化雪冷”，意思是下雪时人们不会觉得很冷，而在雪过天晴时会觉得特别冷。那么，为什么积雪融化时会更冷呢？

一般下雪时，冷暖空气交汇，由于寒冷空气密度大，暖湿空气向上抬升，在锋面处水蒸气凝华成雪。这时冷空气的力量还不是很强大，雪后冷空气才占据主导。加上积雪可以反射太阳光，使得地表接收的热量减少，积雪融化也会吸收环境热量，进一步降低气温。

热是如何传递的

水壶放在火焰上，过一会儿，水就沸腾了；开水放在桌上，要不了多久就变成凉白开了。这是为什么呢？热是如何传递的呢？热的传递又有什么形式呢？

热传递

在滚烫的咖啡中放入冰块，咖啡会变成能直接入口的温度，而冰块会融化，这是因为在这个过程中发生了热传递。

在热传递的过程中，传递热能的多少叫作热量。为了纪念英国物理学家詹姆斯·普雷斯科特·焦耳在热学上的贡献，我们把能量的单位命名为“焦耳”，简称“焦”，热量的单位同样也是“焦耳”。

热传递的方向

发生热传递的时候，高温物体放出热量，低温物体吸收热量。

德国物理学家鲁道夫·克劳修斯将这一现象描述为“热量可以自发地从温度高的物体传递到温度低的物体，但不可能自发地从温度低的物体传递到温度高的物体”，这就是大名鼎鼎的热力学第二定律。

热传导

热传导又称导热，指的是当互相接触的不同物体或者同一物体内部存在温差时，热量会从温度高的部分传导到温度低的部分。它是固体之间热传递的主要方式。

就像水会自动往低处流一样，热也会自动从温度高的物体传递到温度低的物体。

炒菜时热锅里的食材升温、冬天手持热水袋取暖，这些都是因为发生了热传导。细心的小朋友，你还知道生活中有哪些热传导的例子吗？

热辐射

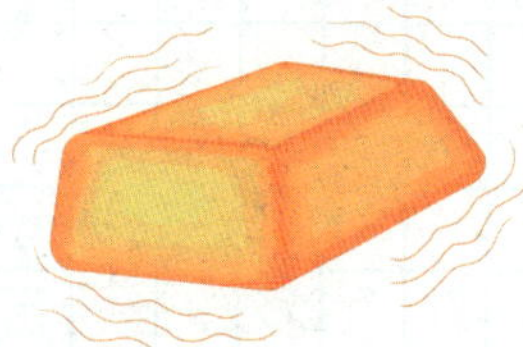

物体由于具有温度而向外辐射电磁波的现象，称为“热辐射”。

温度越高，物体产生的热辐射越强。高温物体通过热辐射将自己的热量辐射出去，低温物体吸收高温物体的热辐射后温度上升，从而实现了热传递。

通过热辐射实现热传递不需要物体之间有接触，也不需要依赖介质。

太阳向地球传递热量、靠近取暖器就能变得暖洋洋的，这些都是通过热辐射实现的热传递。聪明的小朋友，你还能想到哪些热辐射的例子呢？

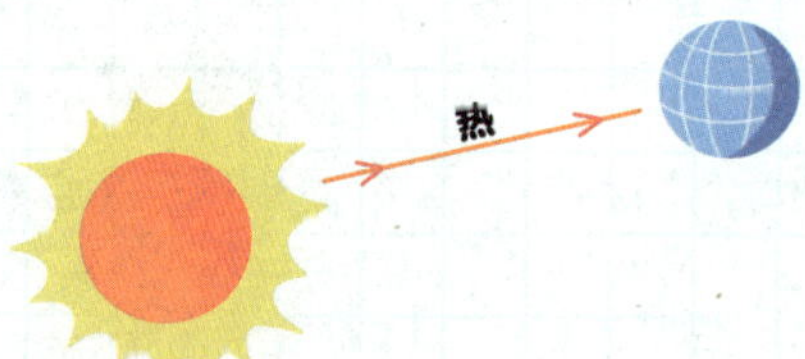

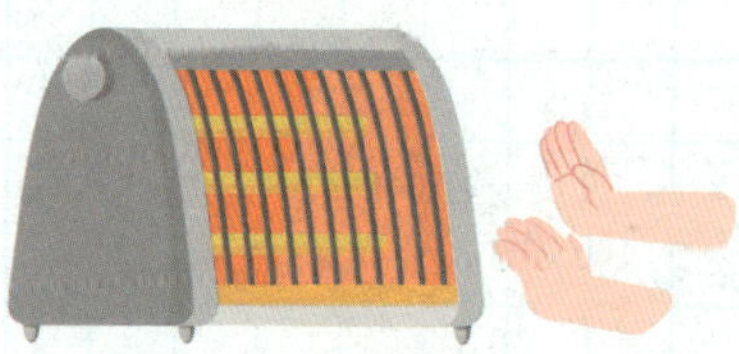

热对流

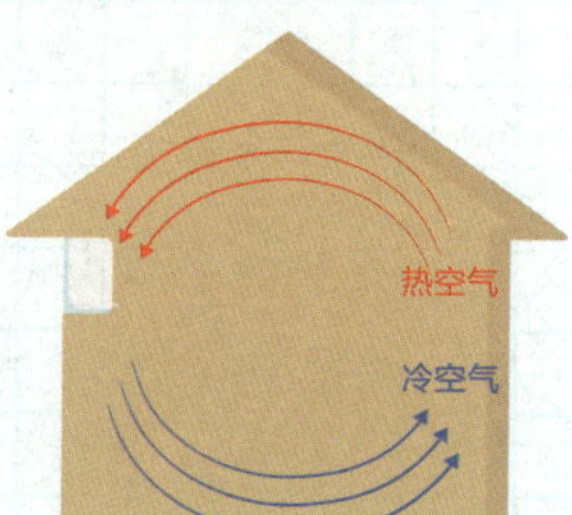

气体和液体相较于固体具有流动性，因此我们将气体和液体统称为“流体”。

流体内部各部分通过流动实现热量传递的过程，称为热对流。

流体的热传递往往伴随着对流现象。

烧水时底部较热的水因密度减小而咕噜咕噜往上冒，上层较冷的水因密度较大而向下沉，这样循环流动，水因此升温，此时就产生了热对流。认真的小朋友，你还见过哪些热对流的例子吗？

麦克斯韦妖

英国物理学家詹姆斯·麦克斯韦于 1867 年为了探讨热力学第二定律的统计性质和适用范围而提出了一种设想，被称为“麦克斯韦妖”。

麦克斯韦设想了一个封闭的绝热容器，容器中间用一个带有小门的隔板隔开，隔板的旁边有一个体形非常小的小妖精。每当有温度高的分子从左边飞向小门时，小妖精就打开门让它来到右边；当有温度低的分子从右边飞向小门时，小妖精便打开门让它来到左边。对于其他情况（如温度低的分子要从左边去右边，或温度高的分子要从右边去左边），小妖精均会关上门不让分子通过。

最终整个容器的左边主要聚集了温度低的分子，而容器的右边主要聚集了温度高的分子，从而似乎让这个容器在没有外界做功的情况下，从一致的温度变成了一冷一热的两个部分，且温度高的部分不再自发地将热量传递到温度低的部分。由此，麦克斯韦对热力学第二定律的普适性产生了质疑。

聪明的小朋友，你能发现这个设想中的漏洞吗？

事实上，麦克斯韦妖的核心就在于其“主动选择”的行为。小妖精要获取分子信息并进行操作本身是会消耗能量的，且在开门、关门的过程中也会引起整体热量的改变。因此这个设想虽然最初是为了质疑热力学第二定律而提出的，但却从更深的层次上验证了该定律的正确性，是不是很神奇呢？

什么是热机

爆米花加热会迸出去，烧开的水壶盖子会被顶得上下跳动……加热为什么会导致物体的运动？利用这一现象，我们又能做什么呢？

热机的原理

在试管内装入一些水，用橡胶塞塞紧后加热试管，不一会儿，橡胶塞便会被发射出去。

这是因为水被加热后汽化成了水蒸气，同样质量的水蒸气，其体积比水的体积要大得多，因此试管内部产生了巨大的压力，这股压力便将橡胶塞"发射"了出去。

这一现象虽然简单，但是人们就是通过这一原理制造出了能将热能转化为机械能的装置——热机。

热机的种类有很多，比如蒸汽机、内燃机、汽轮机、喷气发动机等。

蒸汽机

利用蒸汽的能量来做功的动力装置叫作蒸汽机。

蒸汽机主要由两个部分组成。一个是使水沸腾产生高压蒸汽的锅炉，这个锅炉的燃料可以是木头、煤、石油、天然气甚至是可燃垃圾；另一个是使高压蒸汽推动活塞从而进行机械运动的汽缸。

蒸汽机的燃料在锅炉中燃烧而不是在汽缸的内部，这是蒸汽机与内燃机最大的不同。

蒸汽机的历史

古希腊数学家希罗于公元 1 世纪发明的汽转球，被认为是蒸汽机的雏形。

在锅底加热使得水沸腾变成水蒸气，然后经由管子进入球中，最后水蒸气会由球体两旁的喷口喷出，从而使得球体转动。

然而汽转球在当时只是一种新奇的娱乐装置，人们并未对其有更多的实用性上的想法。

直到1765年，瓦特改良了蒸汽机，将冷凝器与汽缸分离，之后瓦特继续多次改良蒸汽机，这才使得蒸汽机的应用不再局限于排出地下水。紧接着，蒸汽火车、蒸汽轮船等相继被发明出来，人类从此进入了蒸汽时代。

内燃机

内燃机的主要燃料为汽油或柴油，因为燃料直接在汽缸内燃烧产生动力，因此得名内燃机。

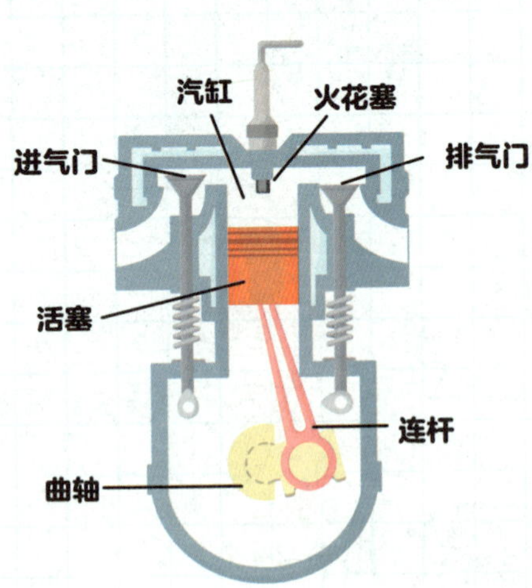

燃料在汽缸内燃烧产生高温高压的燃气，从而推动活塞产生动力。活塞在汽缸内往复运动时，一个周期叫作一个冲程。

多数内燃机是由吸气、压缩、做功、排气四个冲程不断循环来连续工作的。

吸气冲程：进气门打开，排气门关闭，活塞向下运动，燃料和空气的混合物进入汽缸。通过这一步，内燃机大口地“吃进”燃料。

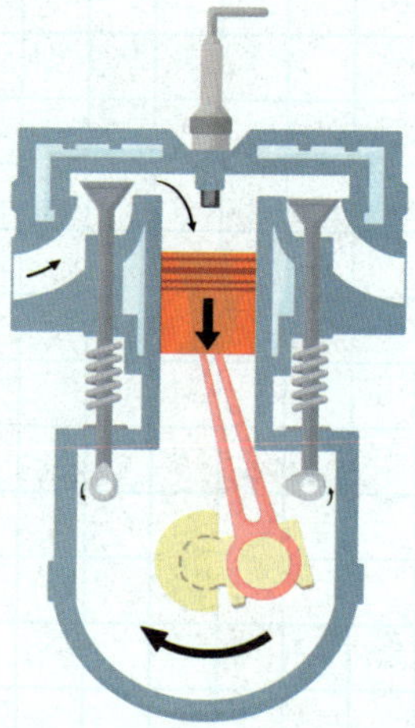

压缩冲程：进气门和排气门都关闭，活塞向上运动，燃料和空气的混合物被压缩。内燃机就像拳击手出拳之前先收拳一样，蓄势待发。

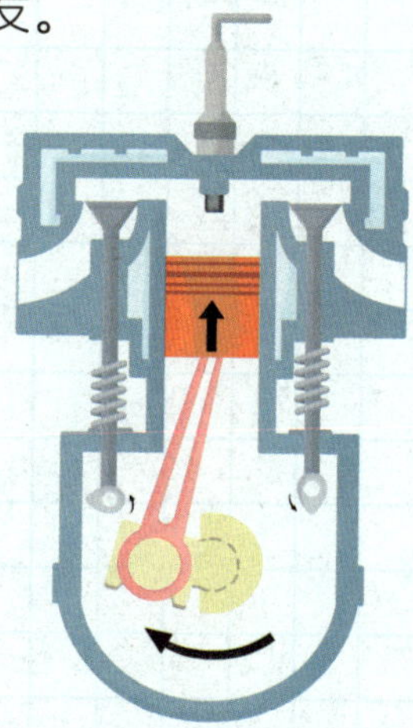

做功冲程：火花塞产生电火花，燃料燃烧产生高温高压气体。高温高压气体推动活塞向下运动，带动曲轴转动，对外做功。内燃机将压缩冲程中“收起的拳头”迅速挥出去，产生巨大的动力。

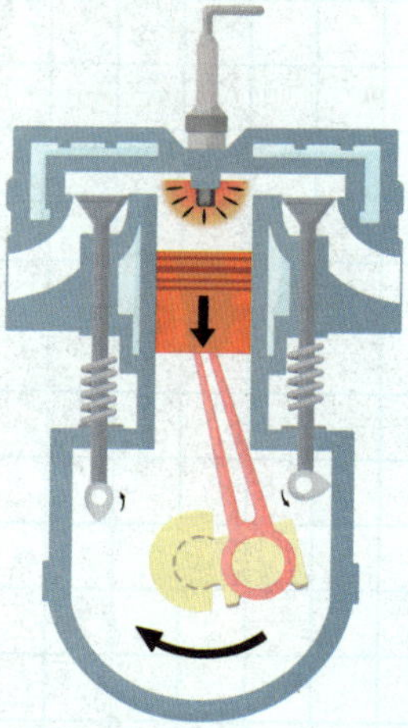

排气冲程：进气门保持关闭，排气门打开，活塞向上运动，废气排出汽缸。内燃机将废气排出汽缸外，准备下一轮的“出击”。

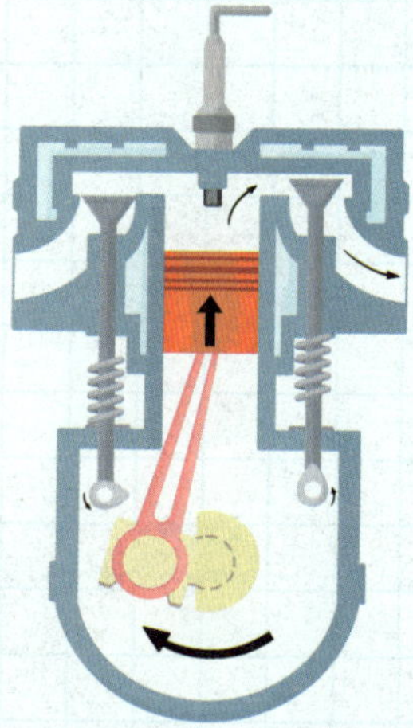

蒸汽驱动的计算机——差分机

英国数学家查尔斯·巴贝奇从小就对数学和机械有着浓厚的兴趣，他在经过孜孜不倦的学习后，提出了差分机的设想。

所谓差分，就是将乘除法转换为加减法，例如 100×100 就转化为 100 个 100 相加。对于机器而言，让它不停地做同一种简单的加法运算，比直接处理各种复杂的计算更容易设计和实现。不过，这种方法要进行多次运算，靠人力很难持续准确地完成。因此，巴贝奇将目光投向了当时最先进的动力装置——蒸汽机。

1823 年，巴贝奇带着他设计的差分机的图纸通过了英国政府的审核，并获得了资金和政策上的支持。如果造成的话，这将是一台长约 1.5 米、宽和高各约 3 米、重 2 吨、由蒸汽机驱动、预计能完成 20 位数运算的机器。可惜由于当时机械零件的加工精度难以达到要求，虽然花费了 7 年的时间，却只完成了这个庞然大物的一小部分，如此巨大的时间和资金成本使得英国政府停止了对它的资助。

差分机的理念相当超前，20 世纪一些早期计算机的设计也借鉴了这个理念。因此，称巴贝奇为现代计算机的鼻祖一点也不为过。

时至今日，作为诞生于蒸汽时代的机械设计领域的巅峰之作之一，差分机也广泛出现在各种以蒸汽时代为背景的文艺作品中，成为蒸汽时代最具代表性的象征之一。

能量的转化有什么规律

通过学习热机，我们知道了热能可以转化为机械能；通过观察摩擦生热，我们知道机械能也能转化为热能。你还能举出哪些能量转化的例子呢？能量之间的转化有什么规律呢？

能量的转化

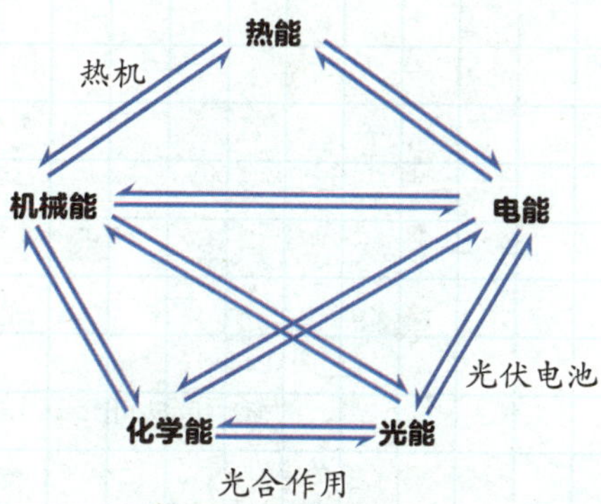

物体静止处于高空和处于平地上具有不同的能量，我们把这种因为物体所处高度而具有的能量称为重力势能。物体从高空下落时，重力势能转化为动能。

物质发生化学反应时，能将其本身蕴含的能量释放出来，这种能量称为化学能。燃料燃烧就是将化学能转化为热能，植物的光合作用就是将光能转化为化学能。

科学家们经过长期探索，发现能量转化是非常普遍的，在一定条件下，各种能量都能相互转化。你能用想到的例子补全旁边的能量转化图吗？

能量守恒定律

大量实验表明，能量既不会凭空产生，也不会凭空消失，它只会从一种形式转化为另一种形式，或者从一个物体转移到另一个物体，而在能量转化和转移的过程中，能量的总量保持不变，这就是能量守恒定律。

不少人都设想过一种机器，不需要能源就能源源不断地向外输出动力，人们把这种机器叫作永动机。历史上从未有人真正制造出永动机。能量守恒定律的发现使人们认识到，没有机器可以凭空产生能量，因此，永远不可能制造出永动机。

小实验：让温度看得见

实验器材

透明塑料瓶、吸管、食用色素、酒精（或食用油）、气球（或橡皮泥）、皮筋、记号笔。

实验步骤

1 制作可视化装置：将酒精倒入塑料瓶约一半的量，选择喜欢的颜色的食用色素，将其滴入并混匀。

2 组装温度计：用气球完整包裹住瓶口后用皮筋扎紧，将吸管尖端朝下插入瓶中，并将缝隙处密封好。注意，吸管尖端不要插到瓶底哦。

3 将温度显示出来：将整个装置放置于室内，待吸管液面稳定后用黑色记号笔标记此时的液面高度，代表的就是室温。同样，可以将装置放置于冷水或热水中，标记好吸管液面稳定后的高度，代表的就是各自的温度。这样，温度就能非常直观地显示出来了。怎么样，是不是非常神奇？

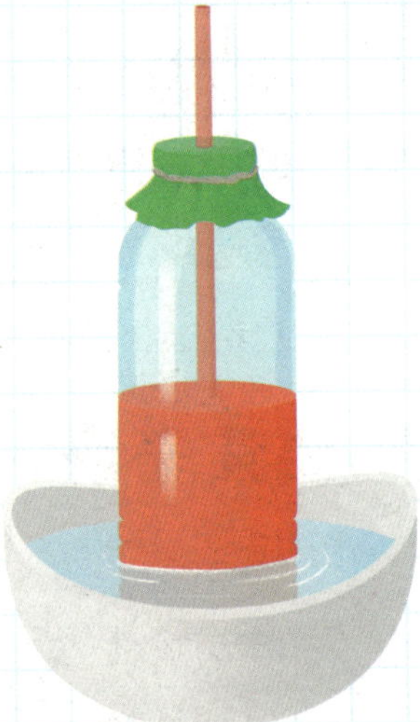